L'homme parfait
est une connasse !

© Flammarion, 2018.
ISBN : 9782081418172

Anne-Sophie
GIRARD

Marie-Aldine
GIRARD

L'homme parfait est une connasse !

Flammarion

À tous les hommes qui ont traversé et partagent nos vies...
Sauf quelques-uns. On a gardé les noms.

« *Ils vécurent enfants et firent beaucoup d'heureux.* »

Auteur anonyme

Sommaire

Préface

Quand on écrit une préface, l'avantage c'est qu'on a lu le livre avant vous (à moins que vous ne commenciez par les remerciements et finissiez par la préface, mais dans ce cas soit vous êtes chelou, soit vous êtes Benjamin Button). Au moment où vous lisez ces mots, vous ne savez donc pas encore que ce livre va changer votre vie.

Perso, je l'aurais classé dans la catégorie « développement personnel », à côté de *Devenir soi-même grâce à la méditation ayurvédique de la fin du XIVe siècle et les plantes grasses* et *Se trouver grâce à l'art-thérapie ou Google Maps*.

L'avantage étant qu'on peut certes trouver ce guide de survie dans toutes les bonnes librairies, mais aussi dans les toilettes d'une copine qui a bon goût, à côté d'une bougie Estéban senteur mûre sauvage et vanille étoilée (elle a une bougie Estéban senteur mûre sauvage et vanille étoilée dans ses toilettes !!!) Et en plus cette fois (nul n'est censé ignorer le succès des deux volumes précédents), ÇA PARLE DES MECS !

C'est comme assister à un apéro entre copines, l'alcool en moins. Cette mystérieuse réunion hebdomadaire exclusivement féminine où les hommes ne sont jamais invités, mais où on parle de nous, hommes imparfaits, que l'on ait la mentalité d'un enfant de 8 ans, la virilité d'un ado de 16 ans ou celle d'un vieillard de 76 ans (tout dépend de l'état d'avancement de notre calvitie et de notre bedaine).

Comme le disent les auteurs : « Ce livre, c'est un grand cri d'amour pour les hommes normaux. » Alors je le crie à mon tour aux sœurs Girard : je vous aime !

Bonne lecture, chanceux lecteurs encore vierges de toutes ces pages !

Sanaka

Avant-propos

Ce livre est un guide de survie à l'usage des femmes imparfaites.

Le but de ce livre est de mettre fin à la quête du Prince charmant.

Tout simplement parce que (attention spoiler !) **L'HOMME PARFAIT N'EXISTE PAS.**

Dans les deux premiers opus de *La femme parfaite est une connasse !*, nous décryptions les relations femmes/femmes. Ici, nous nous intéressons aux relations hommes/femmes et essayons de théoriser ce qui se dit durant les apéros entre filles.

Tout ce qu'on dit des hommes... Et plus encore.

Nous avons passé deux livres à rire de nous, il était temps que ce soit leur tour.

MAIS N'OUBLIEZ PAS QUE TOUT ÇA, CE N'EST QUE DE L'AMOUR !

Il ne s'agit pas de régler nos comptes ou de venger nos copines*, il s'agit de rire ensemble de nos défauts et de nos contradictions.

L'HOMME PARFAIT N'EXISTE PAS ET C'EST TANT MIEUX !

Et d'ailleurs, réfléchissons un instant, si l'homme parfait existait, il y a quand même de fortes chances pour qu'il soit plus attiré par « la femme parfaite » que par nous...

Y a pas à dire, l'homme parfait, c'est vraiment une connasse !

---

* Ok, d'accord, peut-être un peu...

On se souviendra
qu'il y a deux choses
qui ne mentent pas :
les enfants
et les leggings.

Premier rendez-vous : en faire trop ou pas assez

Lors d'un premier rendez-vous, nous tenons à nous présenter sous notre meilleur jour. Nous prenons donc soin de nous apprêter, de nous « pimper ». Oui, mais voilà, nous pouvons avoir une légère tendance à en faire trop. (Si, bah si ! On va pas se mentir.)

● **Règle n° 1 : ne pas trop en faire !**

Attention au « overdressed », qui signifie être trop habillée, ou pas en adéquation avec la situation.

> **Ne dit-on pas : « C'était déplacé comme une robe à sequins pour un barbecue » ?**

Non, d'accord, on ne dit pas ça... Mais vous voyez l'idée.

Si on arrive toute pomponnée, des talons en strass, sentant le parfum à 3 000 km et avec un contouring à faire pâlir Kim Kardashian, pas la peine de préciser : *« Je sors tout juste du travail. »* Personne n'est dupe.

« Bien sûr que je porte cette robe tous les jours... Avec des gants en soie... Par contre tu feras attention de ne pas marcher sur ma traîne. »

● **Règle n° 2 : faire tout de même un effort !**

« Si j'arrive canon, il va voir que je me suis préparée, donc il va penser que je suis désespérée ! Du coup je ne me change pas, j'y vais comme ça ! »

« Je ne vais pas me maquiller, ni m'apprêter, ni m'épiler, je veux qu'il me voie telle que je suis... Mon vrai moi. »

Il faut trouver un juste milieu. On ne vous demande pas d'en faire trop comme Mariah Carey se rendant à... comme Mariah Carey tout le temps en fait, mais pensez quand même à prendre une douche.

Il faut garder le mystère

L'homme est un chasseur, blablabla...
L'homme a besoin d'une femme mystérieuse, blablabla...
On a beau se le répéter, on est incapable d'appliquer cette règle.
Mais qu'est-ce qu'on ne comprend pas ?! Qu'est-ce qui ne va pas chez nous ?!

- À la première « date* », après seulement deux verres de rosé, on lui a dit comment on veut appeler nos enfants !
- On a serré nos cuisses entre nos doigts pour lui montrer notre cellulite (parce qu'il avait dit poliment : « *Où tu veux les perdre tes 4 kilos ?!* »).
- On a lui a expliqué qu'on a tendance à faire des cystites quand on boit du vin blanc, et on a fini par lui raconter la fois où on a pété au yoga.

> **Rappelez-vous qu'il est interdit d'évoquer la dépression de son chien/chat dès le premier rendez-vous.**

Sont également proscrits :

- les allusions au mariage.
- les allusions, descriptions, photos de vos ex.
- toute allusion aux passions considérées comme « hors-normes ».
- tout ce qui concerne vos problèmes gastriques et/ou gynécologiques.

Il faut rester soi-même.
Ok... Mais si on est soi-même une folle furieuse hystérique, on fait quoi ?!

---

* « Date » étant un mot anglais, nous avons décidé de dire UNE date, parce qu'on fait ce qu'on veut.

L'analyse des photos
de sites de rencontre

Sur un site de rencontre, le but est de parcourir différents profils et d'engager la conversation lorsque l'un des profils nous intéresse (et que c'est réciproque).
Dans un second temps, une rencontre peut avoir lieu. On peut même y trouver l'homme de sa vie*.

LÉGENDE URBAINE

On connaît tous quelqu'un, qui connaît quelqu'un, qui a rencontré l'homme de sa vie sur Tinder. Mais posez-vous la question... À y regarder de plus près, est-ce qu'on a déjà vu cette personne en vrai ?
CQFD.
C'est ainsi que naissent les légendes urbaines...

Sur ces sites, nous nous basons essentiellement sur le physique, c'est pourquoi il est important de bien analyser les photos mises à notre disposition.
Qu'est-ce que ça nous dit sur lui ?
Sur son environnement ?
Sur ses goûts ?

Tel des profilers, nous tenterons de construire un profil précis de chaque candidat potentiel.

« J'ai reconnu l'immeuble derrière lui, il ne peut s'agir que du 17e arrondissement de Paris. D'après l'ombre portée sur le mur, la photo a été prise en début d'après-midi, il doit donc travailler dans le quartier... Il porte sa montre au poignet droit... Tiens, tiens, un anticonformiste ! Ou un gaucher... »

Si les filles ont tendance à analyser chaque photo, les hommes le savent. Ils prennent donc de plus en plus de soin à choisir leurs photos. Mais nous ne sommes pas dupes !

---

* Réaction de la majorité des femmes à la lecture de cette phrase : « Hahahaha ! »

Quelques conseils
à l'attention des hommes

- Attention aux mauvais montages.
  > *On voit que votre corps est beaucoup plus foncé que votre visage.*

- Évitez les photos coupées.
  > *On se doute que votre ex était à côté.*

- Évitez les vieilles photos qui datent trop.
  > *Il y a un poster de East 17 derrière vous.*

- Pas de photos torse nu.
  > *C'EST INTERDIT ! (Nous ne nous donnerons même pas la peine d'expliquer pourquoi.)*

- Évitez la photo avec une personne célèbre.
  > *On se doute que vous n'êtes pas un intime de Leonardo DiCaprio et le fait que vous lui ayez volé une photo devant le poste à essence de Juan-les-Pins ne nous impressionne pas.*

- Interdiction de se déguiser sur les photos.
  > *Ça inclut les perruques argentées, les ballons sous le tee-shirt en guise de poitrine, les lunettes disco et tout autre accessoire de Saint-Sylvestre.*

- Évitez de poser avec les yeux rouges et une 8.6 à la main.
  > *On aime les bons vivants, mais on n'est pas loin du « punk à chien », là...*

- Bannissez les photos sur lesquelles vous êtes entouré de jolies filles.
  > *Vous pensez vraiment qu'on va se dire : « Oh ! il a plein de copines canons ! Je vais donc m'empresser d'avoir un rapport sexuel avec lui ! » ?*

- Arrêtez les photos avec un bébé chien/chat, ou tout autre animal mignon.
  > *Vous pensez vraiment qu'on va se dire : « Oh ! il est tellement sensible que je vais m'empresser d'avoir un rapport sexuel avec lui ! » ?*

 Poser avec des potes trop canons vous expose à une comparaison qui ne serait pas forcément à votre avantage.

Les différents psychopathes des sites de rencontre

Afin de nous y retrouver plus facilement, nous avons mis au point une typologie des différents « psychopathes » que nous pouvons rencontrer sur les sites de rencontre. Cette liste est bien sûr non exhaustive, libre à vous de compléter cette galerie de portraits.

Le queutard

Il cumule les aventures, c'est justement ce qui fait de lui un queutard.

- Il a une moyenne de 6 dates par semaine.
- Il a « daté » avec plus de 4 de vos copines.
- Il a déjà enchaîné 3 dates dans la même soirée pour être sûr de ne pas rentrer seul.

Le SDF

LUI : « *Tu peux me laisser monter chez toi ?... Il se passera rien, promis.* »

Quand tu découvres sous la table un sac de voyage, tu comprends aisément qu'il fait ce rendez-vous uniquement parce qu'il n'a nulle part où dormir.

L'artiste photographe

Il nous envoie une photo de son sexe.

NOUS : « *Alors, j'imagine que tu en es très fier puisque que tu tiens absolument à me le montrer, mais sache que la bienséance veut qu'on demande la permission avant d'envoyer n'importe quel organe en photo.* »

Le tueur en série

- Il vous semblait bien avoir déjà vu cet homme dans l'émission « Faites entrer l'accusé ».
- Il pose avec une machette sur la plupart de ses photos.
- Il se fait appeler « FrancisHeaulme34 » sur AdopteUnMec.
- Il a noté dans hobbies : « Tuer des gens ».

Tous ces indices portent à croire qu'il vaut mieux le fuir si vous ne voulez pas vous réveiller dans une baignoire remplie de glaçons avec un rein en moins.

*On évitera
de répondre « Ouiiii !
Je veux bien des
petits saucissons ! »
quand un mec
nous demande
d'une voix suave
« Mademoiselle,
je peux vous offrir
quelque chose ? »*

Ok, il faut donner sa chance au produit, mais c'est pas la braderie non plus !

Un tiers des adultes français sont célibataires.
2 célibataires sur 3 sont des femmes.
Certains célibataires le sont par choix, mais d'autres subissent leur célibat. Certains ont tellement peur d'être seuls qu'ils sont prêts à se caser avec n'importe qui...

● *« J'habite dans une ville de 4 000 habitants, donc dès que j'apprends que quelqu'un est célibataire, je saute sur l'occasion. On ne sait jamais quand une nouvelle opportunité se présentera. »*
Note pour plus tard : penser à créer une application téléphonique qui enverrait des notifications dès qu'un mec est de nouveau célib.

● *« Je veux rencontrer quelqu'un... N'importe qui... Le tout-venant ! »*
À vouloir se caser avec n'importe qui, on finit par faire n'importe quoi.

● *« Julien n'est pas l'homme idéal mais j'avoue que j'avais peur de finir seule... »*
Mais tu ne finiras pas avec lui de toute façon ! Je suis désolée de te l'annoncer ainsi, mais les chiffres sont formels.

● *« Je ne suis pas amoureuse, mais il est gentil... »*
Il ne manquerait plus qu'il morde ! Vu qu'il ressemble à une patate avec une montre, heureusement qu'il est gentil !

● *« Je me suis mise en couple avec Thibault car j'avais peur de finir mangée par mes chats. »*
LÀ ON DIT OUI ! ÇA, C'EST UNE BONNE RAISON !

SOYEZ EXIGEANTES, VOUS LE MÉRITEZ

Le texto syndical

L'étape du « premier rendez-vous » implique un certain nombre de règles à respecter. Parmi elles, l'envoi d'un texto pour remercier l'autre de la soirée est une étape primordiale. Que ce rendez-vous ait été une réussite ou un parfait fiasco, la bienséance exige un texto, qu'il convient d'appeler **le « texto syndical »**.

Sachez que, selon les conventions collectives, vous êtes en droit de l'exiger.

> **Messieurs...**
> **L'envoi du texto syndical ne vous engage en rien !**
> **Il ne signifie pas que vous êtes tombé follement amoureux de nous ni même que nous allons un jour nous revoir.**
> **Il évitera seulement à votre date de se sentir nulle au point que vous ne vouliez plus AUCUN contact avec elle.**

Sachez qu'il n'est pas nécessaire de se répandre en compliments ou de faire espérer un nouveau rendez-vous, il vous suffit d'envoyer un : « C'était cool de se rencontrer, j'ai passé une bonne soirée ». Le message est passé.

- Pas de question ouverte.
- Pas de : « À refaire. »
- Pas de : « À bientôt. »

Il s'agit simplement d'une façon polie de remercier la personne pour le temps qu'elle vous a accordé.

Nous partons du principe que c'est au garçon d'envoyer le texto syndical.
Nous avons tout à fait conscience du caractère « rétrograde » de ce principe, mais sachez que cela est fait consciemment. Il est de notre devoir de prendre position, quitte à choquer, pour que certaines situations (dramatiques) ne se reproduisent plus jamais...

Le texto syndical : cas pratique

Imaginez que vous ayez passé un rendez-vous agréable et que vous décidiez de lui envoyer le premier message, voici ce qu'il risque de se passer...

J'ai passé un très bon moment :) 22:00

À refaire très vite ! :) 22:04

Tu es libre demain ?! 22:08

Mince... je t'ai dit demain ?!
En fait demain je peux pas... J'ai déjà un truc. 22:18

Ce week-end sinon ??!! 22:19

Dis-moi juste, que je m'organise,
parce que j'ai pas mal de trucs à faire... 22:21

Écoute, laisse tomber !
Si tu n'as pas envie de me revoir, c'est pas grave ! 22:24

Je ne sais pas pour qui tu te prends !
Moi, je t'avais rien demandé à la base !! 22:28

Espèce de pervers narcissique ! 22:29

Excuse-moi pour ce dernier texto,
je ne sais pas ce qui m'a pris…
C'est tellement pas moi. 23:33

Mais juste pour savoir,
est-ce que j'ai dit ou fait quelque chose
qui t'a déplu ? 23:35

Ok, tu n'as pas envie de répondre
c'est ton choix et je le respecte 23:37

Pourquoi tu fais ça ?!
Pour me faire souffrir, c'est ça ?!!
Eh bien ça marche ! Adieu 23:41

Vous bloquez son numéro 23:47

Vous débloquez son numéro 23:51

Je viens d'avoir tes messages… 23:54

En l'espace d'une heure, vous vous serez autosabotée, et aurez ainsi gâché toutes vos chances de revoir ce garçon.
Vous comprenez à présent la raison pour laquelle nous avons décidé d'établir la règle du **texto syndical : pour que les générations futures n'aient jamais à se poser la question du premier texto…** (Hymne américain et main sur le cœur).

Sur les réseaux
sociaux, on évitera
de donner notre avis
sur la guerre
en Syrie en utilisant
un filtre « oreilles
de chat ».

Les dates

Nous faisons régulièrement allusion aux « dates »*, autrement dit « le rendez-vous amoureux ». La date est très codifiée, nous allons donc essayer de vous aider à ne pas commettre d'impair.

Petits conseils pour qu'une date se passe bien :

Donnez rendez-vous dans un lieu public (On ne sait jamais, il peut s'agir d'un psychopathe).

L'heure du rendez-vous est stratégique :
Vers 18 h 30 : C'est l'heure parfaite « pour l'apéro ».
Vers 20 h : C'est pratique car ça vous permet de rentrer chez vous après le travail pour vous faire belle, mais ça vous pousse aussi à manger un bout avec lui et c'est prendre un risque. (Son anecdote sur la prolifération des bernard-l'ermite pourrait vous sembler interminable.)
Après 22 h : Cela peut signifier « Hey ! Viens, on boit un verre et on couche ensemble ». On passe alors dans la catégorie du « plan cul »**.

Évitez de trop boire... (On vous connaît !)

Ne vous braquez pas s'il ne vous embrasse pas avant de partir. Ça ne veut pas dire que vous ne lui plaisez pas, c'est peut-être juste qu'il prend son temps.

Ne lui envoyez pas un texto tout de suite, laissez-le venir*.

Listes des choses qui prouvent qu'une date se passe mal :

- Il s'assoit en vous demandant de quand datent vos photos sur le site de rencontre.
- Il ne souhaite pas commander parce qu'il « ne compte pas rester longtemps ».
- Il drague ouvertement la serveuse.
- Il vous tourne le dos.
- Il répond à son téléphone alors que celui-ci n'a pas sonné.
- Il n'est pas venu.

---

* Cf. le chapitre « Premier rendez-vous : en faire trop ou pas assez », p. 20.
** Cf. le chapitre « Le plan cul régulier/Le sex friend », p. 138.
*** Cf. le chapitre « Le texto syndical », p. 27.

Pourquoi il ne nous rappelle pas ?

Notre rendez-vous avec ce garçon s'est déroulé à merveille. Nous sommes rentrée chez nous le sourire aux lèvres et le cœur léger. Oui, mais voilà... Il ne nous rappelle pas. **Pourquoi ??!!**

La première raison qui nous vient à l'esprit est la plus évidente : **IL EST MORT !**
Bien sûr, nous ne pouvons pas écarter cette possibilité, mais posons-nous quelques instants pour étudier les autres options.

- Il a perdu notre numéro.
- Il travaille trop et n'a pas la tête à ça.
- Il a oublié (ce qui est mauvais signe).
- Il est trop timide et/ou trop impressionné.
- Il a peur de tomber amoureux et de souffrir.
- Il ne va jamais sur Facebook, c'est pour ça qu'il n'a toujours pas accepté notre demande d'ami.
- Comme on n'est pas « amis » sur Facebook, notre message est sûrement allé dans « Autres ».
- Il n'a pas de réseau (depuis 5 jours...).
- Il a eu un grave accident à la suite duquel il a perdu la mémoire (on a décidé de rester positive).

Mais nous oublions cependant la raison la plus évidente...

Parce qu'il n'a pas envie de nous revoir*.

> **Petite précision :**
> Nous n'avions peut-être pas envie de le revoir, nous avions seulement envie qu'il ait envie de nous revoir ! C'est quand même pas compliqué à comprendre, si ?

---

* Mais on préfère garder la version du coma et de la perte de mémoire.

La théorie du « breadcrumbing »

Il vous a dragué, vous a proposé un rendez-vous, mais depuis il a annulé trois fois !*
Même s'il trouve toujours une bonne excuse, il faut se rendre à l'évidence :
IL N'A PAS ENVIE DE VOUS VOIR.
Il voulait juste tester son pouvoir de séduction et souhaite « vous garder sous le coude ».

Et ça pourrait s'arrêter là ! Mais non, sachez qu'il reviendra... Régulièrement...
On appelle ça : **la théorie du « breadcrumbing »** ou « miettes digitales ».

Selon le *Urban Dictionary*, il s'agit du fait d'envoyer de temps en temps un petit signe de vie. Un SMS sorti de nulle part, un « like » sur Facebook, pour bien montrer qu'il existe encore...
Il trouve toujours le moyen de reprendre contact avec vous.
Il reposte une vieille photo, vous tague sur un truc qui le fait rire, vous envoie une chanson, ou un simple « *Salut toi* », « *Un bisou en passant* », etc.

Vous vous dites : « *Tiens, tiens, regardez-moi qui est de retour !* »
Vous pensez qu'il veut vous revoir, qu'il regrette, qu'il veut que vous lui redonniez une chance...

ERREUR !

Il veut juste vous garder sous le coude !
Il ne veut pas « couper les ponts » pour garder un lien avec vous.

Identifier un breadcrumbeur, c'est comprendre et accepter qu'il n'y aura rien de plus entre vous que ces « petites prises de contact » et ça vous fera gagner beaucoup de temps.

---

* Et il a l'audace d'annuler une heure avant ? Mais qu'est-ce qu'il croit ?! Qu'on s'est réveillée comme ça ?! PIMPÉE, BRUSHÉE, LOOKÉE ?! On s'est épilée exprès ! (Il mériterait même qu'on lui envoie la facture de l'esthéticienne...)

La « passe décisive »

Dans le domaine sportif, une passe est déclarée décisive lorsqu'elle permet à celui ou à celle qui la reçoit de marquer.
Ce principe s'applique également en matière de séduction.

Afin d'être plus efficace pour séduire quelqu'un, il est important de s'entourer de « potes » du sexe opposé, car il est bien connu que nous sommes davantage en confiance lorsqu'une personne du même sexe que nous vient nous vanter les qualités de son/sa pote.

Mise en situation :
Notre ami, que nous appellerons ici José, a repéré une fille qui lui plaît lors d'une soirée mais hésite à aller lui parler de peur de paraître trop direct.
Il envoie donc une copine tâter le terrain.
Il s'agit d'installer un climat de confiance afin de pouvoir lui présenter José dans les meilleures conditions.

Il s'agit également de récolter des informations essentielles :
● situation sentimentale.
● goûts en matière d'hommes.
● santé mentale...

Une fois le contact établi, un simple « *Et au fait, je te présente José* » suffira. La suite ne dépend plus de vous.

P.-S. : Il est évident que ledit « José » nous sera redevable à son tour d'une « passe déc' ».

Petites phrases à éviter lors d'une passe déc' :
● « *Je te présente José, il aimerait avoir un rapport sexuel avec toi.* »
● « *Je te présente José, c'est le meilleur coup de la région Franche-Comté.* »
● « *Je te présente José, il est clairement mieux que toi physiquement mais je pense que coucher avec lui pourrait te redonner confiance en toi.* »

*On arrêtera
de dire : « D'accord
mais on mettra
un filtre ! »
à chaque fois
qu'une copine
nous fait valider
une photo.*

La théorie du hors-jeu

(RAPPEL) CONCEPT DU VETO*

Lorsqu'une fille s'intéresse à un garçon, elle doit s'empresser de prévenir ses amies célibataires, qui ne pourront pas draguer le garçon en question. « Un veto a été posé. »

Il est possible de poser un veto sur un garçon et ainsi s'opposer à ce que d'autres filles le draguent, ce qui vous laissera une plus grande marge de manœuvre.

Selon les cas, un veto peut durer plusieurs heures/jours/semaines, mais il est aussi possible de poser un veto sur un garçon uniquement le temps d'une soirée.

Petit rappel des règles du veto lors d'une soirée :

- Lorsque deux filles ont vu le même garçon, la priorité absolue revient à celle qui l'a DIT en premier (et non pas celle qui l'a VU en premier).
- Lors d'une soirée, la durée moyenne d'un veto est de 1 h 30.
- Si le contact n'a pas eu lieu durant ce laps de temps, ledit veto sera remis dans le pot commun.
- On a le droit de ne poser qu'un seul veto par soir.
- Le même garçon ne pourra pas faire l'objet d'un deuxième veto durant la même soirée.
- Afin que la dépositaire du veto puisse agir en toute sérénité, il faudra éviter au maximum les « positions de hors-jeu ».

---

* Cf. le chapitre « Concept du veto », ~~À la recherche du temps perdu~~, *La femme parfaite est une connasse !*, Vol.1, p. 109.

ATTENTION : Durant le temps du veto, vous devez laisser toutes les chances à la dépositaire du veto de pouvoir attirer l'attention du beau gosse. Pour se faire, vous ne devez en aucun cas vous placer entre les deux.
Vous seriez alors en « position de hors-jeu ».

La règle :

Mise en situation :

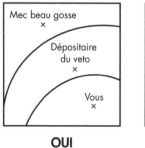

OUI   **NON**

Le mec relou

Nous tenions à apporter un nouvel éclairage sur cette catégorie d'hommes car, on le sait, le « relou » est partout. Il est assez facile de le reconnaître car son mode de fonctionnement est quasiment toujours le même.

Il ne lâche jamais l'affaire !
Le relou est persévérant, ce qui est une qualité, certes, mais il faut avouer que ça peut être un peu saoulant…

14 août 2018

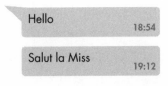

Hello
18:54

Salut la Miss
19:12

15 août 2018

Coucou
17:52

16 août 2018

Hello :)
18:13

Comment ça va ?
19:02

Bah alors pas de news ?
19:11

17 août 2018

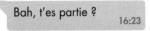

Bah, t'es partie ?
16:23

Et ça peut continuer très longtemps comme ça…
Contrairement au « très relou ».

Le mec très relou

14 août 2018

Hello
18:54

Bah pourquoi tu réponds pas ?!
18:54

Pourquoi tu fais la belle à pas répondre ?
18:54

Sérieux, tu t'es pris pour qui ?
T'es même pas belle !
18:55

Sale pute
18:56

Alors prenons un peu de temps pour répondre à ce jeune homme que nous sentons quelque peu contrarié :

- À la question : « *Pourquoi tu réponds pas ?* »
  La réponse est : « Parce que je n'en ai pas envie. »
- À la question : « *Pourquoi tu fais la belle à pas répondre ?* »
  La réponse est : « Parce ce que rien ne m'y oblige. »
- À la question : « *Tu t'es pris pour qui ? T'es même pas belle !* »
  La réponse est : « C'est marrant, parce qu'il y a encore quelques heures tu me trouvais terriblement attirante. »
- À l'affirmation : « *Sale pute* »
  La réponse est : « Ohhh… pauvre petit garçon contrarié du fait que je ne lui réponde pas et qui, pour cette raison, défoule sa colère sur moi, trahissant ainsi son manque de confiance en lui ainsi que ses probables problèmes érectiles. »

*On arrêtera
de vouloir se faire
un « blond polaire »
quand on est brune,
sachant qu'on va
inévitablement
brûler nos cheveux
et qu'on ressemblera
plus à Beetlejuice
qu'à Khaleesi.*

TEST : Quel kéké est-il ?

Cochez les cases ci-dessous si :

☐ Il porte une chaîne en maille « grain de café ».

☐ Il s'est fait faire une manchette en tatouage.

☐ Il a une photo de lui à la salle de sport sur son Instagram avec un « #nopainnogain ».

☐ Il a plus de 4 selfies dans ses photos Facebook.

☐ Il a un tatouage avec une citation en italien.

☐ Il poste ses temps au semi-marathon sur les réseaux sociaux.

☐ Il porte des marques apparentes (Vuitton, Gucci, Sergio Tacchini…).

☐ Il trouve Kim Kardashian « très élégante ».

☐ Il a fait une téléréalité.

☐ Il a rajouté des baffles dans sa voiture.

☐ Il a un prénom finissant par « -an » (Brian, Kylian, Rayan…).

☐ Il a une grosse voiture.

☐ Il a une grosse moto.

☐ Il en a une grosse.

Résultat :
Il coche plus de 3 cases :
il est métrosexuel et/ou originaire de la région PACA.
Il coche plus de 6 cases :
il va avoir du mal à se justifier.
Il coche plus de 9 cases :
cette personne doit se faire aider.

Les textos de secours

On sait qu'il ne faut pas répondre tout de suite au texto d'un garçon qui nous plaît. (On connaît les règles ! On a lu les opus I et II.)

Pourtant, il est de ces situations où il nous est impossible d'attendre. On ne peut pas s'empêcher de répondre tout de suite au texto d'un garçon qu'on aime bien.
Alors on se précipite ou, pire, on s'y reprend à plusieurs fois. Il y a ces trois petits points qui apparaissent, disparaissent, apparaissent, disparaissent... Et qui confirment le fait qu'on a recommencé quatre fois !

Alors on se presse, on panique, et là, c'est le drame !
On dit des choses qu'on ne pense pas, ou on dit des choses qu'on pense mais qu'on aurait préféré ne pas dire, ou les deux ! Et tout ça, dans un français plus qu'approximatif.

Re-panique. Dès lors, on envisage toutes les possibilités.
« Je vais lui dire que je me suis trompée de destinataire. »
Taux de crédibilité : 4 %

« Je vais lui dire que c'est une pote qui a répondu ça pour me faire une blague. »
Taux de crédibilité au-delà de la classe de 4e : 12 %

« Je vais lui dire que j'étais bourrée. »
Étant donné qu'il est 14 h... Taux de crédibilité : 17 % (Ok, soyons honnête : 25 %)

ASTUCE n° 1

Pensez à écrire d'abord le texto dans les notes, puis copiez/collez-le ensuite dans les SMS. Vous pouvez également l'envoyer, au préalable, à une amie pour validation.

ASTUCE n° 2

Pensez à préparer des textos d'avance pour ne pas être prise au dépourvu. Il est pratique d'avoir dans son téléphone un texto correspondant à chaque situation.

Les différentes émoticônes
et leur signification

Afin de nous aider à communiquer, Dieu, dans sa grand bonté, a créé les **ÉMOTICÔNES.**

<u>Définition</u> : suite de caractères alphanumériques utilisés dans un message électronique pour former un visage stylisé exprimant une émotion. Synonymes : smiley, emoji.

La plupart d'entre nous maîtrisons les émoticônes classiques :

😊	Content
😤	Énervé
😳	Ne comprend pas/surpris

Mais il existe des subtilités... :

💙 (Le cœur bleu)	Friendzone
🎈 (Le ballon rouge)	Je t'aime bien.
😘 (Le smiley qui envoie un cœur)	Je te kiffe (mais ça ne signifie pas que c'est sexuel).
🍆 (L'aubergine)	Ça signifie que c'est sexuel.
🦐 (La crevette)	Sache que je te méprise.
⚡ (Le personnage avec un éclair sur le visage)	J'ai tendance à me prendre pour David Bowie (ou *Jem et les Hologrammes*).
🦁 (Le lion)	L'émoticône de la culpabilité. « *Regarde comme j'ai l'air malheureux, et c'est entièrement de ta faute.* »
🥜 (La cacahuète)	Quand il est question de cacahuète dans une discussion.

Le mec kryptonite

La kryptonite est un fragment de météorite capable d'affaiblir Superman et/ou de neutraliser ses pouvoirs.

Puisque nous sommes toutes des « Superwoman », nous avons toutes notre kryptonite. Elle se présente le plus souvent sous la forme d'un homme qui nous fait perdre tous nos moyens et annihile nos pouvoirs.

Nous savons pertinemment que cet homme est nocif pour nous et qu'il causera notre perte, mais le moindre témoignage d'intérêt de sa part nous fait replonger.

FACE AU MEC KRYPTONITE,
IL N'Y A QU'UNE SEULE CHOSE À FAIRE : FUIR

Évitez la confrontation, vous perdrez à coup sûr !
Puisque que vous n'êtes pas armée, il vous faut absolument éviter tout contact avec « l'homme kryptonite ». Sinon, vous allez céder (encore) et vous allez le regretter (encore).

Le mec kryptonite est une drogue.
Lors de vos crises de manque, vous ne serez plus maîtresse de vos actes ni de vos paroles, vous serez prête à tout pour replonger « rien qu'une fois ». Il est donc important de prévenir votre entourage pour qu'il sache comment réagir. (Évacuation de la soirée, confiscation du portable, dose d'anxiolytique…)

Comme pour un drogué, une phase de sevrage est nécessaire.
Tout contact avec l'homme kryptonite sera ainsi prohibé. Faites confiance au temps et n'oubliez jamais qu'un seul écart… et c'est la rechute !

Dans leur grande générosité, les auteurs ont prévu un bon à découper et à distribuer à vos proches.

Nom : _____

Prénom : _____

Groupe sanguin : _____

Mec kryptonite : _____

Nom : _____

Prénom : _____

Groupe sanguin : _____

Mec kryptonite : _____

Nom : _____

Prénom : _____

Groupe sanguin : _____

Mec kryptonite : _____

**Bon à découper et à distribuer
à vos parents/amis
afin qu'ils soient informés du danger
qui vous guette et sachent comment réagir.**

Retrouvez les gestes qui sauvent sur le site de la Croix-Rouge.
https://www.croix-rouge.fr/Je-me-forme/Particuliers/
Les-6-gestes-de-base/Les-4-etapes-pour-porter-secours

**Bon à découper et à distribuer
à vos parents/amis
afin qu'ils soient informés du danger
qui vous guette et sachent comment réagir.**

Retrouvez les gestes qui sauvent sur le site de la Croix-Rouge.
https://www.croix-rouge.fr/Je-me-forme/Particuliers/
Les-6-gestes-de-base/Les-4-etapes-pour-porter-secours

**Bon à découper et à distribuer
à vos parents/amis
afin qu'ils soient informés du danger
qui vous guette et sachent comment réagir.**

Retrouvez les gestes qui sauvent sur le site de la Croix-Rouge.
https://www.croix-rouge.fr/Je-me-forme/Particuliers/
Les-6-gestes-de-base/Les-4-etapes-pour-porter-secours

> *On évitera de dire :*
> *« J'étais à un mojito*
> *et demi d'embrasser*
> *ce garçon. »*

La friendzone

La friendzone signifie « zone d'amitié ».
Il s'agit d'une situation où une personne désire avoir une relation amoureuse ou sexuelle avec une autre personne qui, elle, ne désire entretenir qu'une relation amicale.

Afin de vous préserver au maximum, il est important de savoir déceler les signes de la friendzone pour éviter un jour d'entendre les phrases maudites *« Je te vois seulement comme une amie »* ou *« T'es une bonne copine »* ou encore *« Hahaha mais t'es comme une sœur pour moi. »*

Comment savoir qu'on est dans la friendzone ?

- Il nous parle de problèmes **TROP** intimes.
- Il nous donne rendez-vous direct **après son boulot** (et ne prend même pas la peine de rentrer chez lui se changer).
- Il nous parle de la **fille** qu'il voudrait « pécho ».
- Il nous parle du **mec** qu'il voudrait « pécho ».
- Il veut nous **caser** avec un de ses amis.
- Il nous répond automatiquement avec des **émoticônes** alors qu'on vient de lui écrire un roman.
- Il nous a surnommée « **Grizzou** ».
- Il **pète** à côté de nous pour nous faire rire.
- Il nous tape fort **sur l'épaule** en riant, comme si on était un vieux pote.
- Lorsqu'on lui écrit un **texto** *« J'aimerais qu'on passe du temps tous les deux... »*, il répond *« Hahahaha »*.
- Il nous parle de sa **copine**.

Maintenant que la « friendzone » est définie, la question est :
Comment en sortir ?

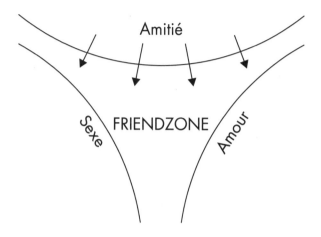

**On ne sort pas de la friendzone... C'est un peu l'équivalent
des « marécages de la mélancolie »*.**

 On ne peut décemment pas laisser quelqu'un penser
qu'il a ses chances alors qu'on l'a friendzoné depuis
longtemps !
Certaines personnes s'amusent à laisser de l'espoir
à l'autre pour satisfaire leur besoin de séduction.
(On vous voit vous savez... On sait qui vous êtes !)
C'est d'ailleurs un des comportements qui les classe
immédiatement dans la catégorie des « connasses ».
Alors **SOYEZ CLAIR !**

---

* En référence au film *L'Histoire sans fin* de Wolfgang Petersen (ceux qui
ne l'ont pas vu, sachez que vous brûlerez en enfer).

Le concept du « Je ne t'ai rien promis ! »

Lorsqu'un homme cherche à justifier son comportement, il a tendance à utiliser certaines phrases magiques (dans le sens où elles ont le pouvoir de nous rendre folles). Parmi elles se trouve la fameuse : **« Je ne t'ai rien promis »**.
Cette phrase se classe dans le Top 5 des phrases les plus énervantes.

Mise en situation :
Étape 1. Dans une relation, l'homme s'emballe vite : *« Je t'aime, je t'aime, je t'aime ! »*
Étape 2. La femme est plus réticente : *« Ça va un peu trop vite... »*
Étape 3. L'homme accélère : *« Tu es la femme de ma vie ! La future mère de mes enfants. »*
Étape 4. La femme se laisse convaincre et tente un : *« Je crois que tu me plais bien. »*
Étape 5. L'homme, choqué, refrène alors son enthousiasme et assène un : *« Attends ! Tu t'emballes un peu trop, là ! Je ne t'ai rien promis ! »*

Le concept du **« Je ne te t'ai rien promis »** survient souvent lorsque la femme, d'abord craintive, baisse sa garde...
Et BIM ! Le petit coup derrière la nuque !

« J'ai sûrement vu des signes là où il n'y en avait pas... Mais, bizarrement, quand tu as dit : "Tu es la femme de ma vie, la future mère de mes enfants", je me suis dit que tu m'aimais bien... »

C'est pour cette raison qu'on attend souvent que ce soit le mec qui dise « je t'aime », parce que si c'est la fille qui le dit en premier, alors là...
« WHOW ! Tu te projettes, t'es une folle, une psychopathe... »

 QU'IL SOIT BIEN CLAIR QUE LES AUTEURS NE FONT PREUVE D'AUCUNE OBJECTIVITÉ À CE SUJET ET QUE CELA NE LEUR POSE AUCUN PROBLÈME DE CONSCIENCE.

« Je ne te t'ai rien promis »... ben si !

Dès les premiers rendez-vous, certains hommes ont tendance à s'enflammer...
« Tu te cachais où, toi, pendant tout ce temps ?! »
« C'est trop beau pour être vrai... »
« T'es trop parfaite, elle est où l'arnaque ? »

Pourquoi l'homme se sent-il obligé de dire ces choses ?! (On aurait fini par coucher avec lui de toute façon...)

Partant donc du principe que l'homme s'emballe vite au début d'une relation, il est de notre devoir de réfréner son enthousiasme.

● *« Quand j'ai dit que j'aimerais qu'on passe du temps ensemble, je ne pensais pas forcément au mariage... Une journée à Walibi aurait été largement suffisante pour commencer. »*

● *« Ok, je comprends que tu veuilles qu'on ait un enfant... Mais une question : est-ce que tu es capable de me dire mon nom de famille ? »*

● *« Est-ce que tu es sûr de vouloir tatouer mon prénom sur ton avant-bras ? Tu ne veux pas qu'on se voie en vrai d'abord ? »*

La théorie du « Je ne lui avais rien demandé ! »
L'homme fait tout pour nous séduire. Dans un premier temps, on résiste car on a peur de souffrir... Puis, face à son charme et à sa persévérance, on se laisse aller et on ouvre enfin notre cœur... **Et c'est le moment qu'il choisit pour nous larguer.**
Et cette phrase qui ne cesse de nous hanter... **« Je ne lui avais rien demandé, moi ! C'est lui qui est venu... »**

Le test du 20-10-3

Il existe un test, qui se transmet de génération en génération, et qui nous permettrait de sonder notre âme afin de comprendre ce que nous recherchons réellement chez un homme.

L'homme parfait n'existant pas (on va pas le répéter tout le livre, il va falloir l'assimiler une bonne fois pour toutes), il faut faire le tri dans nos exigences et revoir nos priorités.

- Qu'attendons-nous véritablement d'un homme ?
- Est-ce que le fait qu'il soit drôle est plus important que le fait qu'il soit gentil ?
- Si nous devions choisir entre son physique et son intelligence ?
- Est-il vraiment indispensable qu'il ait un grain de beauté sur la joue gauche ?

Pour vous aider à y voir plus clair, nous vous invitons à faire le test suivant :

Première étape :
Faites une liste des 20 qualités que vous jugez importantes chez un homme.

Deuxième étape :
À partir de cette liste, choisissez 10 de ces qualités qui sont indispensables à vos yeux.

Troisième étape :
Choisissez enfin 3 qualités réellement primordiales.

À l'issue de ce test, vous vous rendrez compte que le fait qu'il sache faire les nœuds marins n'est pas un critère indispensable. Vous pourrez ainsi vous focaliser sur l'essentiel !

Maintenant, c'est à vous de faire le test du 20-10-3 !

1.................................
2.................................
3.................................
4.................................
5.................................
6.................................
7.................................
8.................................
9.................................
10...............................
11...............................
12...............................
13...............................
14...............................
15...............................
16...............................
17...............................
18...............................
19...............................
20...............................

1.................................
2.................................
3.................................
4.................................
5.................................
6.................................
7.................................
8.................................
9.................................
10...............................

1...................
2...................
3...................

Le ghosting

Il existe plusieurs façons de mettre fin à une relation.
L'une d'entre elle, considérée par beaucoup comme la pire, porte le nom de « **ghosting** » (de l'anglais *ghost*, qui signifie fantôme) : quand la personne disparaît de votre vie comme ça, du jour au lendemain, sans aucune explication.

Plutôt que de l'annoncer de visu, d'appeler ou d'envoyer un texto/mail, etc., il préfère laisser pourrir la situation et faire le mort. Il pense peut-être qu'on va oublier qu'on était en couple...

Sachez « Messieurs » (car notre enquête nous a amenées à penser que ce comportement est à 86 % l'apanage des hommes) que vous entrez automatiquement dans la catégorie des « personnes à abattre ».

Il serait tellement plus simple de rompre « proprement ». Pour vous aider, nous avons sélectionné quelques « textos type » de rupture à copier/coller.

> Je suis désolé mais je préfère être honnête avec toi, ça a été une très jolie rencontre, mais je n'ai pas la tête à ça en ce moment.

> Je suis désolé mais je préfère être honnête avec toi, c'est une question de timing... Ce n'est pas le moment pour moi.

> Je suis désolé mais je préfère être honnête avec toi, j'ai revu mon ex, on se donne une nouvelle chance...

> Preferisco essere amici.

P.-S. : Par respect pour nos amies qui nous ont fait part de leurs expériences afin d'écrire ce livre, nous avons effectué des petits changements afin que leurs ex ne se reconnaissent pas*.

---

* Haha ! On déconne ! Vous êtes grillées, les filles !

**On arrêtera de crier
« *Je vais faire pipi !!* »
à chaque fois
qu'on sort
de l'open space.**

La copine toxique

« Entourez-vous seulement de gens positifs et qui vous font du bien. Éloignez les gens qui ne vous font pas vous sentir bien, et plus vite vous le ferez dans votre vie, mieux ce sera. »

Amy Poehler

On a toutes été amenées à fréquenter une « copine toxique ». Elle ne fait pas obligatoirement parti de notre entourage proche mais on la côtoie régulièrement... (Collègue, voisine, copine de copine, etc.)

Il est assez facile de la reconnaître puisque, quand vous la quittez, vous ne vous sentez pas très bien, voire totalement nulle.

Elle vous fait perdre toute confiance en vous pour la simple et bonne raison que c'est **une connasse !**
(Nous ne voyons pas d'autre explication.)

Si vous vous sentez plus mal après avoir vu cette copine qu'avant, c'est que ce ne n'est pas une copine.
FUYEZ

Exemples de
« copines potentiellement toxiques »

La copine qui bitche* trop :

On aime toutes « bitcher », on aime toutes les potins. Se retrouver entre filles et critiquer est un sport national, mais rappelez-vous d'une chose :

> **Une personne qui passe son temps
> à bitcher sur toutes ses copines
> le fera aussi sur vous.**

La copine qui nous ghoste*** :

Elle était notre amie/binôme/BFF et puis un jour elle a totalement disparu. Elle ne répondait plus aux messages, plus aucun signe de vie, rien ! Il faut se rendre à l'évidence, **on s'est tout simplement fait « ghoster » par notre amie.**

Le ghosting amical est tout aussi violent que le ghosting amoureux. Il peut même être beaucoup plus destructeur. Alors s'il existait un doute, le plus infime soit-il, nous souhaitons le balayer définitivement.

> ## Rien n'excuse le ghosting en amitié !
> ## RIEN

---

* Bitcher : dire du mal. Utiliser trop souvent sa langue de vipère**.
** Langue de vipère = langue de pute.
*** Cf. le chapitre « Le ghosting », p. 54.

Sur une échelle
« Bienveillance/Connasserie »

Lorsqu'il vous arrive quelque chose de bien dans la vie, vos amis se réjouissent pour vous. (C'est d'ailleurs souvent à ça qu'on les reconnaît.)

Pourtant, il n'est pas toujours aisé de distinguer les personnes qui vous veulent du bien.

Pour ce faire, nous avons mis au point un graphique qui vous permettra de situer la réaction de l'autre sur une échelle « Bienveillance/Connasserie ».

Bienveillance

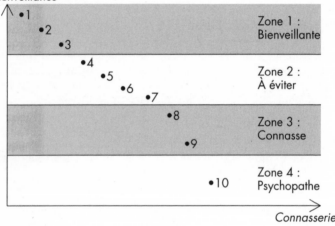

Mise en situation : vous venez d'apprendre une très bonne nouvelle. Quelle est la réaction de votre amie ?

1. Elle veut absolument fêter ça.
2. Elle s'enthousiasme pour vous.
3. Elle vous félicite.
4. Elle change très vite de sujet.
5. Elle change très vite de sujet pour parler d'elle.
6. Elle minimise l'événement.
7. Elle dénigre l'événement.
8. Elle est méchante.
9. Elle vous fait pleurer.
10. Elle essaie de vous tuer.

Les connards

S'il y a pire que le mec « connasse » c'est évidemment « le connard ».
Moins malin que le pervers narcissique, il est tout aussi dangereux.

On en a tous déjà rencontré et si on sait une chose à son sujet, c'est... **qu'on ne peut rien en faire !**
On ne change pas le connard car il faudrait tout reprendre depuis le début : sa façon de se comporter en société en général et avec les femmes en particulier, la différence entre le bien et le mal...
Le mieux à faire avec le connard est d'essayer de prévenir les autres pour leur éviter de perdre leur temps et leur énergie.

POURQUOI JE NE TOMBE QUE SUR DES CONNARDS ?

« La définition de la folie, c'est de refaire toujours la même chose, et d'attendre des résultats différents. » (Albert Einstein)
Oui, on tenait à citer Albert Einstein, on est comme ça.

« Si t'es souvent seul avec tes problèmes, c'est parce que souvent le problème c'est toi ! » (Orelsan)
Simple, basique.

« Je fais jamais deux fois la même erreur... En général, je la fais trois ou quatre fois, histoire d'être sûre que c'était bien une idée de merde. » (Auteur anonyme, ou qui préfère le rester)*

---

* Audrey, Jackman, Nelly, Daisy, Vanessa, Astrid, Lise-Anne, Laure, Amélie, Élodie, Elsa...

« J'ai couché avec elle le premier soir parce qu'elle ne me plaisait pas plus que ça. »

On imagine votre étonnement à la lecture de ce titre.
Pour nous aussi ça a été un choc d'entendre cette phrase sortir de la bouche de notre ami, comme ça, en toute décontraction.
Nous lui avons donc fait répéter :
« Ben non, elle ne me plaisait pas tellement... Sinon j'aurais pas couché avec elle le premier soir. C'est logique ! »

Alors, prenons le temps d'analyser cette phrase.
Première information : la fille A ne plaisait pas tellement au garçon B.
Deuxième information : le garçon B a quand même couché avec la fille A.
Troisième information : si la fille A avait plu au garçon B, il n'aurait pas couché avec elle le premier soir.

À ce niveau-là de la conversation, nous étions de plus en plus perdues... Tellement de questions se bousculaient dans notre tête :
- Est-ce que la fille A a eu le même raisonnement ?
- Pourquoi deux personnes qui ne se plaisent pas couchent-elles ensemble ?
- Si le garçon B refuse de coucher avec une fille A, cela signifie-t-il qu'elle lui plaît ?
- Est-ce que ne pas coucher avec elle est une preuve de respect pour le garçon B ?

Malgré notre insistance, nous ne sommes pas parvenues à avoir plus d'explications de la part du garçon B.
Nous avons donc décidé (après de longs débats au sein de la rédaction*) de vous livrer notre expérience telle quelle.
Merci de votre compréhension.

---

* Débat qui a eu lieu durant un apéro de filles, lors duquel nous avons constaté que 50 % de nos copines comprenaient cette théorie et l'appliquaient.

Liste des hommes parfaits (si on vivait dans un film/série américaine)

- **Docteur Mamour** – *Grey's Anatomy*
  Beau gosse et médecin... Qui résisterait ?

- **« Mr. Big »** – *Sex and the City*
  Même s'il persiste un débat « BIG/Aidan ».

- **Matt Brody** (David Charvet) – *Alerte à Malibu*
  Cours David ! Cours !

- **Zack Morris** – *Sauvés par le gong*
  Le blondinet à la mèche parfaite qui sort avec la fille la plus populaire du lycée.

- **Dylan McKay** – *Beverly Hills*
  Le mec un peu dangereux, à l'air mystérieux et au sourcil rasé.

- **Drazic** – *Hartley, cœurs à vif*
  Le bad boy, surfeur, skateur... La base !

- **Patrick Jane** – *The Mentalist*/**Harvey Specter** – *Suits* (Les auteurs n'ont pas réussi à les départager)
  Le sourire de dingue et le costume trois pièces.

- **Jarod** – *Le Caméléon*
  Grand amour d'adolescence de l'une des auteurs.

- **Monsieur Sheffield** – *Une nounou d'enfer*
  Même s'il va falloir attendre l'épisode 15 de la saison 5 pour « qu'il soit prêt ».

- **Jon Snow** – *Game of Thrones*
  Si vous commencez à nous sortir : « Moi je préfère Jaime Lannister », on va pas s'en sortir !

Je ne veux pas m'emballer
de peur de trop souffrir

Rappel :
Combien de fois avons-nous dit et/ou entendu la phrase suivante :

« Je ne veux pas m'emballer parce que si ça ne marche pas, je vais souffrir. »

Alors, nous sommes désolées de vous l'apprendre, mais si vous prononcez cette phrase, c'est qu'il est déjà trop tard. Vous êtes piquée !
De toute façon, que vous vous emballiez ou pas, vous allez souffrir si ça ne marche pas, alors...

EMBALLEZ-VOUS !

C'est tellement rare de ressentir ça, d'avoir ces papillons dans le ventre. Alors kiffez !!

P.-S. : C'était le moment gnangnan du livre.

Règle n° 8

On arrêtera le « contouring » !*

---

* Et l'highlighter (cette crème nacrée qu'on s'obstine à se mettre au bout du nez). On en rira un jour en voyant nos photos...

L'amitié homme/femme
ou « le secret de l'amulette »

Depuis la nuit des temps revient inlassablement la question :
« L'amitié entre un homme et une femme est-elle possible ? »
Nombreux sont ceux qui se sont penchés sur cette question. De
longues études ont été menées, de nombreuses expériences
ont été effectuées, mais cette question restait toujours sans
réponse...
(On trouve bien quelques bribes de réponses çà et là dans la
littérature du XIXe siècle, mais rien de très concluant.)

C'était sans compter notre obstination ! Nous sommes parvenues à nous procurer (ne nous demandez pas comment)
un rapport gardé secret jusqu'à la chute du mur de Berlin en
1989 et conservé en lieu sûr jusqu'à ce jour.
Ce rapport faisait mention de l'existence d'une amulette sur
laquelle était gravé (en tout petit) ce qui ressemblait à de
l'araméen.
On pouvait y lire :
(Traduction approximative de l'araméen)

**« L'amitié entre homme et femme n'est possible que
dans trois cas seulement. Dans le premier cas, vous
avez déjà couché ensemble. Dans le deuxième cas,
vous vous êtes mutuellement et officiellement friend-
zoné*. Et enfin, dans le troisième cas, l'autre est
moche**. »**

Nous sommes conscientes d'avoir livré ici un immense secret
qui pourrait avoir d'énormes répercussions à l'échelle plané-
taire. Mais cela a peu d'importance car notre soif de savoir
et de transmission est sans limite.
Vous êtes désormais les gardiennes du secret, mais n'oubliez
jamais :

UN GRAND POUVOIR IMPLIQUE DE GRANDES RESPONSABILITÉS.

---

* Cf. le chapitre « La friendzone », p. 48.
** À noter que nous sommes tous le moche de quelqu'un.

Ces personnes qui ne veulent pas être en couple

D'après le dictionnaire Larousse, le célibat désigne « *l'état de quelqu'un en âge de se marier et qui n'est pas marié.* »
Aujourd'hui, cette définition s'est étendue à « *toute personne en âge d'être en couple et qui ne l'est pas.* »

Nulle part dans cette définition, il n'est question de **« situation subie »** ou de **« tristesse »** ou encore de **« désespoir »**. Il existe, en effet, des personnes qui ont choisi d'être célibataires et/ou qui sont heureuses.

Vous trouvez ça triste et/ou vous pensez qu'elles ont raté leur vie parce qu'à presque 40 ans elles sont encore célibataires... Eh bien, sachez que de leur côté, elles pensent qu'elles vous ont mis 10 ans dans les dents parce qu'elles ont profité 10 ans de plus que vous d'une vie libre !
« *Chacun voit midi à sa porte.* » (Citation pourrie qui a toute sa place ici.)

« *Quand à 35 ans tu es célibataire, c'est qu'il y a un problème !* »
Ah merde... À 34 ans c'était bon, mais à 35 ans c'est foutu, c'est ça ?! Damned ! Et j'étais la seule à ne pas connaître la règle ?!

« *Tu es trop difficile.* »
C'est pas parce que toi tu as baissé les bras que moi je ne vais pas continuer d'y croire.

« *Tu dois être difficile à vivre.* »
Oui bien sûr, il est bien connu que les gens en couple sont tous des gens faciles à vivre.

« *Regarde-moi, je suis avec Michel et ça se passe très bien...* »
Ah oui, mais moi, je préfère rester seule toute ma vie plutôt que de vivre avec Michel.

> **Ne perdez pas de vue que les gens qui vous reprochent d'être trop exigeants sont souvent ceux qui ne le sont pas assez...**

On veut un amour
comme dans les films

- ***Quand Harry rencontre Sally*** – Rob Reiner
  Parce que : *« Quand on se rend compte qu'on veut passer le reste de ses jours avec une femme, faut pas traîner les pieds, il faut se lancer aussitôt que possible. »*

- ***Nuit blanche à Seattle*** – Nora Ephron
  Parce que : *« C'était... magique. »*

- ***Elle et lui*** – Leo McCarey
  Parce que Cary Grant et Deborah Kerr.

- ***Love Story*** – Arthur Hiller
  Parce que : *« L'amour c'est ne jamais avoir à dire qu'on est désolé. »*

- ***Ghost*** – Jerry Zucker
  Parce que : *« Idem »*.

- ***Moulin Rouge*** – Baz Luhrmann
  Parce que : *« All you need is love »*.

- ***Collège Attitude*** – Raja Gosnell
  Parce que : *« Pardon pour le retard, ça m'a pris des siècles pour arriver... »*

- ***Love Actually*** – Richard Curtis
  Parce que : *« To me, you are perfect »*.

- ***Coup de foudre à Notting Hill*** – Roger Michell
  Parce que c'est *« juste une fille debout devant un garçon et qui lui demande de l'aimer. »*

- ***Bridget Jones*** – Sharon Maguire
  Parce que : *« Je t'aime beaucoup, vraiment beaucoup. Juste comme tu es. »*

C'est rien, c'est une crise d'angoisse

La crise d'angoisse est une manifestation intense d'inconfort physique et émotionnel, d'anxiété et de peur, que le sujet ne parvient pas à contrôler.
Ce dernier a souvent peur de mourir ou de devenir fou. La crise d'angoisse ou crise de panique peut durer de quelques minutes à quelques heures.

Dans un livre pour faire déculpabiliser les lecteurs/lectrices, nous nous devions d'en parler. Ces crises de panique touchent aussi bien les hommes que les femmes.
Elles peuvent apparaître sans raison mais, la plupart du temps, elles sont provoquées par la peur, la sensation de ne pas être à la hauteur ou simplement parce qu'on se met trop de pression.

RAPPELEZ-VOUS QU'ELLES NE DURENT PAS, QUE ÇA VA PASSER, QUE C'EST RÉPANDU ET QUE PERSONNE NE VA MOURIR...

L'homme et la femme parfaits ne font pas de crises d'angoisse, mais comme vous, vous n'êtes pas parfait (nous pensons l'avoir démontré à de nombreuses reprises), cela peut vous arriver.

N'hésitez pas à en parler et rappelez-vous ce petit livre écrit par ces jumelles au top (compliment gratos) dans lequel elles disaient :

RESPIRE... ÇA VA PASSER.

Et en attendant, on vous fait un gros câlin.

La théorie de Poupette

Parfois, nous prenons une décision trop hâtive et nous souhaiterions pouvoir revenir en arrière... Oui mais comment faire pour revenir sur notre décision, sans pour autant perdre la face ? Pour cela, il suffit que notre interlocuteur applique...

La « théorie de Poupette » :

> *« Premièrement, ne jamais s'avouer vaincu ! Ne jamais rien avouer, d'ailleurs. Deuxièmement, ne mentir que si on est certain de ne pas se faire prendre. Troisièmement, il faut un élément nouveau. C'est plus une boum, c'est un anniversaire. C'est plus vingt heures, c'est dix-neuf trente. [...] C'est plus Raoul, c'est Bernard. N'importe quoi du moment que tu leur permets de changer d'avis sans avoir l'air d'imbéciles. »*
>
> Poupette dans *La Boum* (1980),
> de Claude Pinoteau.

Laissez à l'autre la possibilité de changer d'avis !

La grande philosophe Poupette, la grand-mère de Vic dans *La Boum*, a su théoriser ce que nous pensons tous et on l'en remercie encore aujourd'hui.

La sagesse de Poupette :

> *« J'ai peut-être un pied dans la tombe, mais je ne veux pas qu'on me marche sur l'autre ! »*

MERCI Poupette.

« N'arrache pas ton cheveu blanc, malheureuse ! »

Suite à de nombreux courriers de lecteurs/lectrices, nous avons décidé d'aborder une question cruciale chez les hommes/femmes qui vieillissent*.

Doit-on arracher nos premiers cheveux blancs ?

> *« J'allais l'épiler, mais si je l'arrache,*
> *six autres viendront à son enterrement. »*
> Samantha, *Sex and the City*, saison 6, épisode 12.

En effet, il se dit que si on arrache un cheveu blanc, six repousseront à sa place... **Pourquoi ? Comment ? Et pourquoi six ? Cette expression nous paraissait trop précise pour être honnête, nous nous devions d'enquêter...**

La conclusion à laquelle nous sommes parvenues est que c'est totalement faux !
Il s'agit d'une légende urbaine. Si vous arrachez un cheveu blanc, à sa place repoussera... **UN** cheveu blanc.
L'impression de multiplication est simplement due au fait que lorsqu'un premier cheveu blanc apparaît, il est presque inévitablement suivi par d'autres cheveux blancs.

On trouve magnifiques celles et ceux qui laissent leurs cheveux blancs au naturel, c'est tellement élégant !
Mais soyons réalistes, sur nous, ça fait surtout « tête de folle », moitié « sorcière », moitié « dame aux pigeons » (celle qui crie des trucs chelou devant le Franprix).

---

* Ok, d'accord... On n'a pas eu de courrier, mais comment justifier ce chapitre sinon ?!

Le bobeauf

Nous connaissons tous le terme « bobo » (contraction de bourgeois-bohème) et le terme « beauf », mais il existe un sociotype issu de la contraction de ces deux-là : le « bobeauf ».

Nous, sudistes « montées à la capitale », nous reconnaissons dans la contraction des deux termes.
Nous assumons notre côté beauf (pas trop le choix, il se voit). Mais nous assumons aussi d'être des bobos (déjà rien que le fait de vivre à Paris fait de nous des bobos... 1 000 euros pour un studio !!).

On est capables de boire un moscow mule à 15 euros dans un « bar clandestin » et trouver aberrant qu'ils ne servent pas des cacahuètes avec.

La/le bobeauf est tiraillé entre deux mondes... Il se trouve sur « la terre du milieu », mais c'est sûrement là qu'on s'amuse le plus.

Badge à découper et à porter avec fierté :

JE SUIS
UN
BOBEAUF

Comment savoir qu'on est un bobo ?

☐ Votre enfant porte un nom de fruit.
☐ Vous avez un vélo (avec un petit panier devant).
☐ Vous buvez de la bière sans gluten (oui, ça existe).
☐ Vous habitez Nantes, Bordeaux ou Paris (11e, 18e, ou tout arrondissement à un chiffre).
☐ Vous faites du fly yoga (ou n'importe quel yoga).
☐ Vous mangez bio.
☐ Vous n'avez pas la télé.
☐ Vous cherchez absolument un appartement « atypique ».
☐ Vous passez vos vacances dans un lieu « atypique ».
☐ Vous utilisez régulièrement le terme « atypique ».

Comment savoir qu'on est un bobeauf ?

☐ Vous avez coché au moins 5 cases du test sur le bobo.
☐ Vous partez en vacances au Club Med et vous tournez les serviettes à la « soirée blanche ».
☐ Vous connaissez tous les « Crazy Signs » du Club Med.
☐ Vous savez ce que signifie « faire une olive ».
☐ Votre odeur préférée est celle des grillades.
☐ Vous adorez les musiques des années 80/90.
☐ Vous dites : « On n'attend pas Patrick !? »
☐ Vous avez la télé.

Résultats :

Le bobeauf étant lui-même un bobo, ce test avait pour seul but de révéler le « bobeauf » qui est en vous, **car n'oubliez jamais : « Nous sommes tous le beauf de quelqu'un ».**

TEST : Quel/le névrosé/ée êtes-vous ?

☐ Vous allez voir un psy.

☐ Vous allez voir deux psy (et aucun des deux ne sait que l'autre existe).

☐ Vous pensez que la Reine des neiges n'a pas réglé son œdipe.

☐ Vous pouvez citer au moins trois antidépresseurs différents.

☐ Vous connaissez la différence entre « antidépresseur » et « anxiolytique ».

☐ Vous avez déjà fait des crises d'angoisse.

☐ Vous adorez l'humoriste américain Louis C.K.

☐ Vous avez au moins deux livres de développement personnel.

☐ Vous appréciez l'expressionnisme scandinave.

☐ Vous trouvez Woody Allen très drôle quand il parle de la dépression*.

☐ Vous avez consulté au moins un hypnothérapeute/sophrologue/kinésiologue cette année.

☐ Vous ne fêtez pas votre anniversaire (parce que vous avez peur que personne ne vienne).

☐ Vous avez vu l'émission « Téléchat » quand vous étiez petit(e).

Résultats :

Vous avez plus de 3 réponses positives : vous êtes névrosé/ée.

Vous avez plus de 7 réponses positives : vous êtes très névrosé/ée. Et vous avez bien besoin d'un câlin.

Vous avez plus de 10 réponses positives : vous êtes très névrosé/ée **et/ou** vous êtes l'auteur de ce livre.

---

* Beaucoup moins drôle quand il épouse sa fille.

Les cougars/les MILF

MILF : « *Mother I'd Like to Fuck* », traduisez par « mère de famille sexuellement attirante ».
Cougars : femmes mûres qui préfèrent les hommes plus jeunes.

Si on se base sur ces définitions, la MILF serait celle qui ne cherche pas à séduire mais qui plaît aux jeunes hommes alors que la cougar serait celle qui va « à la chasse » aux hommes plus jeunes.
   La société a donc encore créé une distinction culpabilisante qui consiste à différencier les femmes qui se laissent séduire de celles qui séduisent... VILAINES !

Mais allez-y bordel ! Séduisez ! Qu'est-ce que vous risquez à part de jolies histoires d'amour et/ou de bons souvenirs ?
   Nous avons plusieurs décennies de retard sur les hommes donc on va arrêter de culpabiliser ! C'est bien clair pour tout le monde ?

> Nous encourageons officiellement les femmes à avoir des chéris plus jeunes qu'elles. On va s'gêner, tiens !
> (Nous assumons pleinement les conséquences de ce qui pourrait être considéré comme du prosélytisme.)

Les deux seules règles à retenir sont : « être heureux » et « que ce soit légal ».

● « Vous aviez combien d'écart ?
— Étant donné que je lui ai dit que j'avais trois ans de moins et que lui s'en était rajouté deux... 9 ans. »
● « Il est très mûr pour son âge... »
● « Je ne considère pas qu'il est trop jeune pour moi s'il est né avant la coupe du monde 1998. »

P.-S. : Le terme « puma », quant à lui, désigne des femmes trentenaires préférant les hommes entre 18 et 25 ans.
En revanche, **un homme trentenaire qui préfère les femmes entre 18 et 25 ans sera appelé... un homme.**

On évitera
de se raser
uniquement
les chevilles sous
prétexte qu'on porte
un jean $\frac{7}{8}$.

Ces femmes
qui ne veulent pas d'enfant

Nous sommes tous et toutes des êtres uniques. Certains ont des dons, des envies, des facultés, des façons de voir la vie différentes des autres.

Pourtant, il est un domaine où nous avons du mal à envisager qu'il puisse y avoir d'autres façons de penser et d'agir que la nôtre : celui de la maternité.

C'est fou comme les gens se permettent de juger les femmes qui n'ont pas d'enfant et, surtout, de leur faire des réflexions. Alors, petit pense-bête :

- **Peut-être qu'elles ne veulent pas avoir d'enfant,** donc on évite les réflexions !
- **Peut-être qu'elles ne peuvent pas avoir d'enfant,** donc on évite les réflexions !
- **Peut-être qu'elles veulent avoir un enfant mais qu'elles n'ont pas de géniteurs,** donc on évite les réflexions !
- **Peut-être qu'elles ne savent pas si elles veulent ou pas des enfants,** donc on évite les réflexions !

Pour résumer :
ON ÉVITE LES RÉFLEXIONS !

Petits florilèges de phrases à éviter :

« Tu risques de le regretter plus tard, moi j'm'en fous c'est pour toi que je dis ça... »
Peut-être, tu as sûrement raison... Mais « plus tard », les tiens auront l'âge de te détester.

« C'est naturel ! On est faites pour ça. »
C'est pas parce qu'on PEUT qu'on DOIT le faire.

« Regarde mes trois bouts de choux, ça ne te donne pas envie ? »
Justement ! Je me demande à quel point le fait de fréquenter tes enfants ne m'a pas poussée à prendre cette décision.

« T'as encore tes trucs ou quoi ?! »

Le **SPM, le syndrome prémenstruel** (ou PMS « *premenstrual syndrome* », en anglais) est un ensemble de troubles survenant durant les jours précédant ou pendant les menstruations. Depuis qu'ils ont entendu parler de ce syndrome, certains hommes nous soupçonnent d'être constamment en PMS. L'équivalent de l'expression ringarde « Oh là là, t'as encore tes trucs ou quoi ?! »

« "Mes TRUCS" ? Tu veux parler de mes règles ?! »

Sachez que « règles » n'est pas un gros mot ! (Répétez le plusieurs fois, ça deviendra naturel.)

RÈGLES, RÈGLES...

Nous profitons de ce moment pour aborder une question cruciale qui est rarement traitée dans les livres d'humour, celle de **la ménopause** (phase de la vie d'une femme qui correspond à l'arrêt du fonctionnement des ovaires). Encore une fois, **la ménopause n'est pas un gros mot !** Mais c'est un calvaire pour la plupart des femmes, qui n'en parlent pas ! Car les problèmes liés à la ménopause sont encore aujourd'hui considérés comme « du confort »... Bouffées de chaleur, dépression, baisse de la libido, prises de poids, etc.

La moitié de la population souffre donc dans l'indifférence générale.

PROSTERNEZ-VOUS DEVANT LA FEMME MÉNOPAUSÉE !
VOUS LUI DEVEZ RESPECT ET ATTENTION !

Féministe, ce gros mot !

Lors de la promotion de nos précédents livres, on nous a demandé à plusieurs reprises si nous étions « féministes ».

Rappel :
Le féminisme est un ensemble de mouvements et d'idées politiques, philosophiques et sociales, qui partagent un but commun : définir, établir et atteindre l'égalité politique, économique, culturelle, personnelle, sociale et juridique entre les femmes et les hommes. Le féminisme a donc pour objectif d'abolir, dans ces différents domaines, les inégalités homme-femme dont les femmes sont les principales victimes, et ainsi de promouvoir les droits des femmes dans la société civile et dans la vie privée.

Nous ne devrions plus jamais avoir à répondre à cette question car…

Il n'existe pas d'autre alternative que celle d'être féministe !

Différence entre drague et harcèlement

Nous pensions que la distinction entre les deux allait de soi, mais apparemment pas tant que ça. Nous nous devons donc de faire un petit rappel sur la différence entre drague et harcèlement*.

Plutôt que de faire un tableau à deux colonnes, une pour les comportements considérés comme de la drague et l'autre pour les comportements considérés comme du harcèlement, nous avons opté pour la citation de l'humoriste américain Peter White. Elle est LIMPIDE.

> « I think the golden rule for men should be : if you're a man, don't say anything to a woman on the street that you wouldn't want a man saying to you in prison. »
> (Peter White)
>
> **« Je pense que la règle d'or pour les hommes devrait être : si vous êtes un homme, ne dites rien à une femme dans la rue que vous ne vous voudriez qu'un homme vous dise en prison. » (Peter White)**

 ATTENTION : Le fait que vous soyez connu et/ou puissant ne change rien !

Choses à éviter si vous êtes un homme de pouvoir :
- Harceler psychologiquement vos collègues/relations.
- Harceler sexuellement vos collèges/relations.
- Essayer d'avoir des relations sexuelles non consenties.
- Avoir des relations sexuelles avec une mineure.
- Agresser sexuellement plus de 60 femmes.
- Épouser votre propre fille.

---

* Petite astuce : si vous avez un doute, c'est que ce n'est pas de la drague.

Très cher Jean-Marc...

Nous interrompons ici la lecture de ce livre, afin de réagir à certaines potentielles remarques qu'on pourrait nous faire. Car, il faut se rendre à l'évidence, tout le monde n'est pas pourvu de façon égale de cette qualité que nous, auteurs de ce livre, apprécions tout particulièrement : **le second degré.**

« Elles font quand même beaucoup de généralités, c'est énormément de clichés ! »
QUUUUUOI ??!!

« Quelle merde ce livre ! Les auteurs doivent être de grosses frustrées ! »
Totalement d'accord !

« Elles ont trouvé le filon ! Elles font ça uniquement pour le fric ! »
Mais évidemment !! D'ailleurs, il existe toute une gamme de produits dérivés. Un parfum, une palette de « contouring » et même un parc aquatique sur le thème de « la connasse » (ouverture prévue cet automne).

« C'est hyper rabaissant pour les femmes d'être assimilées à ce type de lecture ! »
Ne fais pas de gestes brusques et tout se passera bien... Tu vas poser tout doucement ce livre à terre, et tu vas reculer encore plus doucement... Voilà...

« C'est vide, creux, sans substance, où est passé l'intelligence ? »
Dans ton cul ! Hahaha !

Les auteurs précisent, à toutes fins utiles, que *L'homme parfait est une connasse !* est un livre d'humour.
Premier indice : le titre.
Deuxième indice : la lecture des deux précédents opus.
Troisième indice : le fait que le mot « couille » apparaisse plusieurs fois dans le livre (on n'a pas compté combien de fois exactement, mais « trop souvent » d'après notre éditeur).

NE NOUS PRENONS PAS TROP AU SÉRIEUX !!

Si vous pouviez écrire une lettre à l'ado de vos 15 ans...

Souvenez-vous de vos 15 ans, de votre excès de sébum et de votre manque de confiance en vous.
À l'époque, vous ne compreniez pas tout, et même si ce n'est pas beaucoup mieux aujourd'hui, la vie vous a forcément appris deux/trois trucs qu'il serait bon de transmettre à la nouvelle génération, histoire de lui faire gagner du temps.

Si vous pouviez écrire une lettre à l'ado que vous étiez, que lui diriez-vous ?

- Ne te coupe jamais la frange seule !
- **Un tatouage en bas du dos n'est pas forcément une bonne idée.**
- On s'en fout d'avoir un bac S, n'importe lequel ira très bien.
- **On ne meurt pas de honte.**
- Non, ta vie n'est pas finie parce que Julien ne veut pas sortir avec toi. (Sache même qu'il s'en mordra les doigts dans quelques années, gnarf gnarf gnarf*.)
- **Un mec qui se fait appeler « Tony le boucher » n'est pas forcément quelqu'un de fréquentable.**

Si vous avez 15 ans, n'hésitez pas à écrire quelque part la liste des choses que vous voulez faire avant vos 30 ans ou 40 ans, c'est précieux.

Vous ne ferez jamais tout ce qui est écrit sur la liste et ce n'est absolument pas grave. Nos rêves sont importants même si on ne les réalise pas. À votre âge, tout est possible, alors n'oubliez pas de rêver grand et loin... (Hymne national américain, la main sur le cœur et l'œil humide).

---

* Rire diabolique (un peu ridicule).

Écrivez ici la liste de vos rêves (ils sont tous précieux, même les plus anodins).

La femme amoureuse est folle
(mais ça reste entre nous)

Lorsqu'une femme a craqué pour un homme, elle est capable de se transformer. Un peu comme un Gremlin qu'on aurait nourri après minuit. Et une fois cette transformation effectuée, plus rien ne peut l'arrêter.

Elle peut s'avérer totalement folle et/ou potentiellement dangereuse.

Les hommes ignorent encore de quoi ces femmes sont capables, donc nous comptons sur vous pour garder le secret et, ainsi, protéger nos sœurs (psychopathes).

Tout a commencé doucement...

- *« J'ai analysé et zoomé toutes ses photos Facebook depuis 2006. »*

- **« Je prends tous les jours le train de 7 h 30 pour le croiser, alors que je ne commence mon service qu'à 10 h. »**

- *« J'ai créé un faux profil LinkedIn pour aller espionner le sien... Je voulais savoir ce qu'il avait mis en "Divers". On en apprend beaucoup sur une personne en voyant son "Divers"... »*

- **« Je passe tous les jours chez Sephora en rentrant chez moi, juste pour sentir son parfum. »**

- *« Je passe des heures à m'entraîner à signer avec son nom de famille. »*

- **« Je suis allée dans la boutique de son ex pour l'observer sous toutes ses coutures. Il faut connaître son ennemi. »**

Et puis, c'est allé trop loin...

- « *J'ai attendu plus de sept heures devant une salle de sport pour le croiser. C'était pas la bonne.* »

- « **J'ai pris LV2 allemand juste parce que la salle était en face de sa classe et que je pouvais le voir sortir de cours... J'ai jamais pu changer, du coup j'ai fait sept ans d'allemand.** »

- « *Je me suis fait tatouer son nom sur le poignet.* »

- « **Je le soupçonne d'avoir une copine, je me suis renseignée auprès du syndic de son immeuble pour récupérer les vidéosurveillances afin de pouvoir l'identifier.** »

- « *J'ai gardé l'emballage de la capote qu'on a utilisée durant la seule nuit qu'on a passé ensemble. Je m'en sers comme marque-page.* »

- « **Il m'a bloquée sur tous les réseaux sociaux parce que je faisais des montages photos de nous deux.** »

- « *Avec une copine, on a suivi le mec que je kiffais en voiture pendant des jours... Il a fini par donner mon signalement à la police.* »

- « **Je me suis mariée avec un autre garçon pour le rendre jaloux.** »

- « *Il a porté plainte contre moi pour "stalking".* »

Définition du *stalking* (ou « traque furtive »), de l'anglais *to stalk* (traquer) : Forme de harcèlement névrotique qui fait référence à une attention obsessive et non désirée accordée à un individu ou à un groupe de personnes.

L'homme parfait est celui avec qui on peut envisager sereinement une garde partagée.

Mec trop canon = Jamais tranquille !

Quand on a un mec canon, on trouve d'abord très agréable que les femmes se retournent sur son passage. C'est génial pour l'égo : *« Hé ouais les filles, c'est mon mec ! »*, mais malheureusement ça ne dure qu'un temps...

Avoir un mec trop canon, c'est n'être jamais sereine ! Ça demande beaucoup d'énergie, de confiance en soi et peut s'avérer chronophage. **Il n'y a rien de pire que d'avoir le sentiment d'être « moins bien que son mec ».**

« J'ai toujours l'impression que les gens se disent "Qu'est-ce qu'il fout avec elle ?!" »

Afin d'éviter ça, il est préférable de choisir un mec moins bien que vous.

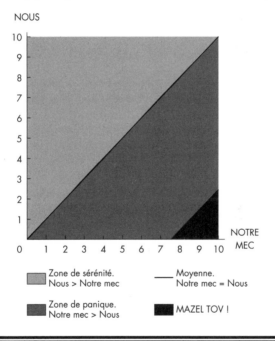

NOUS

NOTRE MEC

Zone de sérénité.
Nous > Notre mec

Moyenne.
Notre mec = Nous

Zone de panique.
Notre mec > Nous

MAZEL TOV !

 Il est important que votre mec ait conscience qu'il est moins bien que vous, sinon, ça n'a aucun intérêt. Il faut qu'il pense qu'il ne trouvera jamais mieux que vous.

P.-S. : On est conscientes que la beauté ne se quantifie pas blablabla... La beauté vient du cœur blablabla...

Au secours ! Mon mec a des Gremlins*

Quand on tombe amoureux, on prend l'autre comme il est. Avec ses qualités, ses défauts, son passé et possiblement... ses enfants.

> *« Oh ! Quel bonheur ! Un "mini lui", un petit être à qui apporter de l'amour et de qui en recevoir en retour. »*

Hahaha ! Évidemment ce ne sera pas aussi facile, d'autant qu'on vous rappelle qu'il a eu cet enfant avec son ex.

D'ailleurs, de nombreux films d'horreur commencent ainsi : « Elle découvre que son beau-fils est l'antéchrist... »

On pourrait vous donner quelques astuces pour les amadouer, mais ce serait peine perdue car, quoi que vous fassiez, ils finiront tôt ou tard par vous asséner un magistral :
« De toute façon, t'es pas ma mère ! »

Alors, essayez seulement de faire en sorte que tout se passe bien, car s'ils décident que la guerre est déclarée, dites-vous bien que vous perdrez !!

N'oubliez pas que rien ne nous oblige à aimer les enfants de notre compagnon.

On peut même les mépriser, mais le plus important est de faire en sorte que ça se voie le moins possible.
Gardez surtout à l'esprit qu'ils vont grandir et qu'ils finiront bien par partir un jour.

P.-S. : Ne les regardez jamais dans les yeux : ils sentent la peur ! C'est comme les loups...

---

* Gremlins = enfants des autres. (Oui parce que c'est marrant, mais quand c'est les nôtres, c'est pas pareil.)
** Sans retour.

L'homme parfait à la plage

Telles *Martine à la plage*... nous avons été tentées d'imaginer notre « homme parfait » dans cette situation.

L'homme parfait s'installe sur une plage privée.

> *Notre mec a posé sa serviette le plus près possible des toilettes et trouve ça très pratique.*

L'homme parfait déjeune d'un poisson qu'il a pêché le matin même.

> *Notre mec est tout fier d'avoir trouvé un crabe et en a fait trois stories sur Instagram.*

L'homme parfait aime se balader sur le port, un pull autour du cou.

> *Notre mec a fait un détour pour ne pas passer devant l'homme-statue peint en or.*

L'homme parfait a commandé un plateau de fruits de mer pour le dîner.

> *Notre mec a bien pensé à la glacière mais l'a oubliée dans la voiture.*

L'homme parfait connaît le nom de tous les poissons présents dans le bassin méditerranéen.

> *Notre mec s'est fait pincer un orteil par un crabe et s'est uriné sur le pied pour faire passer la douleur.*

L'homme parfait a construit un château de sable de 60 cm de haut, avec son pont-levis.

> *Notre mec a creusé un trou pour trouver de l'eau.*

L'homme parfait a sauvé un enfant de la noyade.

> *Notre mec n'a pas pu intervenir car il s'était enterré dans le sable (tout seul).*

Les ex

Nous avons une vision très personnelle de ce qu'est « un/une ex ».

Pour certains, le fait d'avoir embrassé quelqu'un fait de lui « un ex », pour d'autres c'est le fait d'avoir eu une relation sexuelle avec lui, ou encore le fait d'en avoir été amoureux.

« Si j'ai eu des sentiments pour lui, alors oui c'est mon ex. »

« J'ai couché qu'une fois avec lui, je vais pas dire que c'est mon ex ! »

« J'appelle "ex" tous les garçons avec qui je n'ai pas envie que mes copines sortent. »

« Pour lui, je suis son ex, mais pour moi pas du tout ! »

« C'est pas MON ex, c'est UN ex. »

Pour résumer, **C'EST TON EX QUAND ÇA T'ARRANGE.**

On a le choix de considérer que quelqu'un est notre ex ou pas, parce qu'il est évident qu'il y a des ex qu'on préférerait oublier.

Pourtant, nos ex font partie de notre histoire, alors tâchons de bien les choisir car il ne faut pas oublier qu'ils nous représentent.

> ## Dis-moi quel est ton ex, je te dirais qui tu es !

De la même façon, identifier les ex de votre mec peut vous en apprendre énormément sur lui. S'il s'agit d'une bimbo au corps parfait ou d'une intello, ou encore d'une chieuse psychopathe...
On apprend beaucoup d'une personne en sachant ce qu'il a vécu et avec qui il l'a vécu.
Nous vous proposons donc un exercice ludique.
(On sait que ça va forcément partir en quenouille, mais on trouve ça très drôle.)

Listes des ex de _____ [nom de notre mec]	
Prénom	**Durée de la relation**

On arrêtera de dire quelque chose en pensant l'inverse à son mec et de croire qu'il comprendra.

Le deuxième service

Ou comment notre mec a déjà eu une vie avant nous.

Dites-vous bien que s'il y a un service à 20 h,
vous arrivez dans sa vie à 22 h 30.

Oui, on aimerait que la vie sentimentale de notre mec se résume à une page blanche, mais la réalité est tout autre. Notre première vie, c'est ce qu'on appelle « **le premier service** » : premier amour, premier chagrin, premier emménagement, premier mariage et/ou premier enfant, etc.

Mais, en raison de l'augmentation des séparations et des divorces, nous avons souvent une deuxième vie (voire plus). **Il faut donc accepter que notre conjoint en ait une lui aussi.**

Il est difficile d'accepter que tout ce qu'il fait avec nous, il l'a déjà fait avec Lucinda*, mais c'est pourtant le cas et plus vite nous l'aurons accepté, mieux ça se passera.

Petite astuce :
Afin de vivre au mieux cette situation,
rien de mieux que
LE DÉNI

- « _Je crois que Mathieu n'avait jamais vraiment été amoureux avant de me rencontrer._ »
- « _Laurent est allé à Venise pour sa première lune de miel, mais il avait détesté._ »
- « _Mon chéri a très peu de souvenir de sa vie avant notre rencontre._ »
- « _Il ne couchait plus avec son ex depuis des mois._ »

---

* Nom pris complètement au hasard parmi un large choix de prénoms à consonance « connassante ».

L'homme parfait/Notre mec

De la rencontre entre « l'homme parfait » et « notre mec » serait née l'expression : « **Y a deux écoles.** » Deux écoles qui s'affrontent, comme le yin et le yang, le blanc et le noir, Superman et Bob l'éponge... (On vous laisse deviner lequel est Bob l'éponge).

L'homme parfait	Notre mec
Évidemment que je fais beaucoup de sport... Mais j'ai arrêté la compet après les J.O.	**Évidemment que je serai au match. C'est moi qui tiens la buvette !**
Théodore, prends ton cartable, on va aller en trottinette au cours de solfège.	**Merde ! J'ai oublié les gosses à la piscine !**
Je vire automatiquement 27 % de mon salaire sur un PEL.	**Je vais commencer à mettre de l'argent de côté pour les vacances, mais ce mois-ci ça m'arrange pas...**
J'ai construit ma maison moi-même.	**J'ai accroché la boîte aux lettres... Mais bon, faut pas trop la toucher.**
Si tu as faim, je peux te faire un risotto d'asperges vertes, girolles et parmesan.	**Je voulais te commander un Deliveroo mais j'ai plus de batterie.**
Je n'écrase pas les araignées, je vais seulement l'étourdir avec du chloroforme et la ramener chez elle.	**(Avec une voix particulièrement aiguë.) Écrase-là ! Mais écrase-là ! Je ne peux pas voir ça !!**

L'ex parfaite est une connasse !

Il existe pire que la femme parfaite, on veut bien sûr parler de « l'ex parfaite ».

Nous avons découvert, de façon totalement inopinée, une photo de l'ex de notre chéri. (Elle se trouvait dans un dossier nommé « NE PAS TOUCHER. PRIVÉ », sur un disque dur externe, caché dans une boîte à chaussures, dissimulée dans le fond d'un placard.)
Quelle ne fut pas notre surprise de découvrir que l'ex-petite copine de notre chéri était un canon et qu'elle était à classer dans la catégorie des « femmes parfaites ».

> On aura toujours une amie pour nous dire que c'est flatteur pour nous, etc.
> Mais la vérité est tout autre... C'est la meeeerde !
> Pour une plus grande confiance en nous, il est toujours préférable que l'ex de notre mec soit moins bien que nous.
> (Même si la beauté est subjective, blablabla...)

Son ex ne doit pas être un sujet tabou mais il est important de ne pas la personnaliser. Votre mec ne doit en aucun cas l'appeler par son prénom, mais employer l'expression : « mon ex ».
Pas de : « *Linda adorait le pain aux noix* ».
Il est <u>indispensable</u> d'instaurer cette règle dès le début de la relation.

> **Petite astuce : N'hésitez pas à renommer vous-même l'ex de votre mec.**
> Quelques exemples (en présence de votre mec) :
> - **Rania** (Comme si vous ne souveniez pas que son nom est « Linda »)
> - **Ton ex, là...** (Le « là » est très important pour apporter un côté dédaigneux)
> - **Machine**
> Quelques exemples (en l'absence de votre mec) :
> - **Chewbacca**
> - **Chucky**
> - **La pute**

Comment savoir s'il est maqué ?

Vous venez de vous rendre compte que la personne que vous fréquentez depuis quelques jours/semaines/mois a déjà une copine. Nous compatissons, vraiment, c'est moche !
Pour que cela ne se reproduise plus, voici quelques indices qui auraient pu vous mettre la puce à l'oreille.

- Il ne reste jamais dormir.

- **Il ne répond pas à vos messages pendant les week-ends et/ou vacances scolaires.**

- Il y a une photo de « lui et une fille » sur WhatsApp.

- **Il y a beaucoup d'affaires de femme dans son appartement.**

- Il est quand même très proche de « sa sœur ».

- **Il s'enferme dans la salle de bains quand il répond au téléphone.**

- Il vous a dit que la « Julie » qui l'appelle tout le temps est son ex. Mais elle l'appelle quand même trois fois par jour.

- **Il préfère vous voir entre 13 h et 14 h 20 ou entre 17 h et 18 h 30.**

- Il vous dit qu'il a une colocataire féminine, mais il n'y a qu'un lit dans son appartement.

- **Il a fait semblant de ne pas vous connaître quand vous l'avez croisé, accompagné, à la patinoire.**

- Il répond sur WhatsApp ou Messenger mais pas aux textos.

- **Il commence toutes ses anecdotes par « ON ».**

- Il a du démaquillant et des tampons dans sa salle de bains.

- **Quand vous lui avez demandé s'il avait une copine, il vous a répondu : « C'est compliqué... »**

- Il ne répond pas après 19 h.

- **Il vient toujours chez vous parce que « chez lui c'est en travaux ».**

- Son statut sur Facebook est « En couple ».

- **Il y a un autre numéro enregistré dans son répertoire sous le nom de « Mamour ».**

- Il a enregistré votre numéro sous le nom de « Michel ».

- **Il a une alliance.**

- Il vous a présenté sa femme.

Nous vous donnons ici l'opportunité d'apporter votre pierre à l'édifice, en partageant votre propre expérience avec les générations futures.

- ....

- ....

- ....

- ....

- ....

- ....

- ....

- ....

- ....

- ....

- ....

- ....

*On arrêtera
de demander à
notre mec comment
cette robe nous va
si on n'est pas prête
à entendre
la réponse.*

Les hommes aussi ont la migraine

> *« Un homme pense au sexe toutes les 7 secondes. »*

FAUX !

Nous nous devions de rétablir la vérité, ne serait-ce que pour déculpabiliser les hommes.

Admettons que l'homme pense au sexe toutes les 7 secondes. Il y penserait donc (60 / 7 =)8,6 fois par minute.

Soit 8,6 × 60 = 516 fois par heure.

Soit 516 × 24 = 12 384 fois par jour (si on considère qu'il y pense aussi en dormant).

Soyons sérieux... Personne ne pense au sexe 12 384 fois par jour !

Une récente étude de l'université de l'Ohio parle de **18 pensées** par jour en moyenne pour les hommes, contre **10 pour les femmes.**
L'homme n'est donc pas une machine qui pense constamment au sexe.
Certains ont d'ailleurs une libido peu développée ou en tout cas inférieure à celle de leur conjointe...

Oui, les hommes aussi peuvent avoir la migraine*.

---

* Expression ringarde, utilisée pour faire comprendre à son/sa chérie qu'on n'a pas envie d'avoir un rapport sexuel.

Nous interrompons un instant votre lecture afin de vous transmettre une information de la plus haute importance.

Message à l'attention des hommes qui tiennent absolument à nous envoyer une photo de leur pénis.

Même si nous ne voyons pas réellement l'intérêt d'une telle pratique, si votre destinataire est majeure et consentante, libre à vous.

Mais si nous pouvons vous donner un conseil, essayez de le faire correctement ! Pensez à soigner la mise en scène.

Par exemple, un angle de vue avantageux vous aidera à vous présenter sous votre meilleur jour.

De plus, une bonne gestion de la lumière vous permettra de créer une ambiance « cosy » et propice à la confidence.

Enfin, vous pouvez utiliser un accessoire sympa, comme une paire de lunettes ou un petit bonnet rigolo...

N'hésitez pas à faire preuve d'originalité et de créativité.

L'homme parfait à la campagne

L'homme parfait a entièrement retapé une petite ferme.

→ *Notre mec compte bien finir un jour cette cabane à oiseaux… Mais pas cette année.*

L'homme parfait a dressé une autruche.

→ *Notre mec a confondu un paon avec un dindon.*

L'homme parfait connaît tous les noms scientifiques des plantes.

→ *Notre mec a mangé une ortie.*

L'homme parfait a coupé du bois pour le feu.

→ *On a dû accompagner notre mec aux urgences parce qu'il s'est enfoncé une écharde dans le pouce.*

L'homme parfait a fabriqué une cabane dans les arbres pour les enfants.

→ *Notre mec a fait un tipi avec un drap.*

L'homme parfait est allé à la cueillette aux escargots pour les cuisiner le soir.

→ *Notre mec a organisé une course d'escargots et leur a donné un nom : « Isidor est en petite forme aujourd'hui, il couve sûrement quelque chose. »*

L'homme parfait a décidé d'aider la vache à mettre bas.

→ *Notre mec reste persuadé que cette poule le regardait bizarrement.*

L'homme parfait s'est très vite intégré à la population locale.

→ *Au village, notre mec est surnommé « l'autre trou du cul ».*

Mon mec a la grosse tête

L'homme est un être sensible qu'on a tendance à valoriser dès le plus jeune âge. Oui mais voilà, à force d'être encouragé et félicité dès qu'il fait quelque chose de bien, l'homme a tendance... **à prendre la grosse tête.** Et pour cause :

« Un jour, mon mari a acheté une rose à ma mère à un vendeur ambulant. Depuis, il est son "héros". C'était il y a six ans. »

« Tout le monde s'extasie devant lui en train de donner le biberon à notre fils alors que personne ne se soucie des cratères que j'ai sur les seins à force de l'allaiter. »

« On applaudit "son fameux poulet au citron"... Alors que c'est tout à fait normal que je me farcisse tout le reste dans l'indifférence générale. »

« Mon fils a gagné une médaille au judo. Il a dédié sa victoire à son père "qui l'a toujours soutenu"... Alors que je suis la seule à assister à tous ses entraînements depuis trois ans dans un gymnase qui pue. »

« Quand il était plus jeune, mon mari s'est arraché un ongle et d'après lui : "C'est la pire douleur au monde"... Je ne l'ai pas contredit mais j'ai du mal à le croire, et pour cause, j'ai accouché trois fois. »

« Mon mec va à la salle depuis trois mois, il a pris un peu de pectoraux... Depuis, il est persuadé de ressembler à Wolverine. »

« Aujourd'hui mon mec m'a pris le pot de cornichons des mains et l'a ouvert en me regardant droit dans les yeux... Je crois qu'il n'aurait pas été aussi fier s'il avait sauvé un enfant de la noyade. »

« Ma belle-mère m'a dit un jour : "Tu as de la chance quand même d'avoir un mari comme mon fils". À croire qu'il m'a sortie du ruisseau et m'a appris à lire. »

Homme parfait cherche
femme parfaite

L'homme parfait aura tendance à attendre d'une femme qu'elle soit parfaite.
VOUS IMAGINEZ LA PRESSION ?!

« Tu ne te changes pas ?! »
Je viens de passer plus de deux heures à me préparer !

« Tu ne trouves pas qu'elle a grossi Angelina Jolie ?! »
No comment.

« J'espère que tu penses à mettre 26 % de ton salaire de côté chaque mois. »
Non... Mais j'ai acheté une tyrolienne !

« Ce soir, tu te tiens bien. »
Comme si d'habitude je pissais sur la moquette.

« On y va molo sur l'apéro. »
Comme si j'étais du genre à passer entre les convives avec des plateaux de shooters en criant : « Shooooots !! » (Bon... Ok... Celui-là, je lui accorde.)

« Donne-moi la clef, je préfère la garder... »
Tu as raison, c'est une trop grosse responsabilité pour moi ! Je vais me l'accrocher autour du cou.

« Je compte sur toi pour mettre un peu d'ordre là-dedans. »
C'est de mon appartement que tu parles ?

« Je crois que cette personne n'a pas une influence positive sur toi, je préfère que tu ne la fréquentes plus. »
Mais... c'est ma mère !

Sachez que si vous avez entendu un jour une de ces phrases, ce n'est pas que vous sortez avec un homme parfait, c'est que vous sortez avec UN CONNARD.

Pourquoi ils ne veulent pas regarder de match avec nous ?!

Depuis la Coupe du monde 1998*, nous avons commencé à nous intéresser à cet événement et à nous enthousiasmer à l'idée de regarder les matchs de football tous ensemble. Seulement voilà, tout le monde ne partage pas notre enthousiasme. **Avec un peu de recul, nous comprenons aujourd'hui pourquoi nos chéris et certaines de nos amies, férues de football, refusent de regarder les matchs avec nous.**

REGARDER UN MATCH AVEC DES GENS QUI N'Y CONNAISSENT RIEN, ÇA PEUT ÊTRE PESANT. (Même si nous, on trouve ça très drôle.)

Phrases entendues (ou prononcées) pendant un match de la Coupe du monde 2018 :

● « Le match a commencé ? Ça dure combien de temps ? »

● **« Vanessa, tu ouvres une bouteille de rosé ?! »**

● « Moi, j'aime bien la Coupe du monde parce que c'est l'été. »

● **« Tu vois, ça, je serais incapable de le faire ! »** (Parce que le reste, oui ?)

● « Le Pérou mériterait de gagner parce qu'on voit que ça leur ferait plaisir. »

● **« Prunes, tu ouvres une bouteille de rosé ?! »**

● « Ohhh ! il a marqué ! C'est ses parents qui doivent être fiers ! »

● **« La Coupe du monde en Russie, c'est surtout l'occasion de boire à 17 h. »**

---

* On s'en souvient à peine, on était des gamines. (Merci de ne pas calculer quel âge avaient les auteurs en 1998.)

- « Oui bon, y a faute, mais on voit qu'il s'en veut. »

- **« Le maillot blanc, c'est une mauvaise idée, ça tache. »**

- « On est en quelle couleur, nous ?! »

- **« Tu vois, moi, je l'aurais pas mis là Griezmann, on le voit pas assez, c'est les plus petits devant normalement. »**

- « Audrey, tu ouvres une bouteille de rosé ?! »

- **« Regarde l'écran, toi !! Quand tu regardes, ils marquent ! »**

- « Haaaaahaaaaaaaahaaaaaaaaaahaaaaaaaaaaaaaaaa !!!! Il a failli marquer ! »

- **« Le 10, il sent le cul. »**

- « Giroud, il est blessé au front. À tous les coups, il s'est brûlé avec le BaByliss. »

- **« J'ai envie de faire pipi mais je vais attendre la deuxième mi-temps. »**

- « Ce serait quand même le comble pour un footballeur de se plaindre que sa meuf simule. »

- **« Mélo, tu ouvres une bouteille de rosé ?! »**

- « Championooooooooooooons du monde !!!!! Les filles, lâchez le rosé, on ouvre le champagne !!!!! »

*On arrêtera
de dire qu'on est
« influenceur/ceuse »
tout ça parce qu'on a
un compte Instagram.*

La vie sexuelle (passée) de notre mec

Concernant le sujet épineux de la vie sexuelle passée de notre mec, plusieurs possibilités s'offrent à nous :

On ne veut pas savoir
- « *Non, parce que peu importe le chiffre, ça va m'énerver.* »
- « *Non, parce que s'il me dit combien, je vais devoir lui dire moi aussi, et je ne sais pas mentir.* »
- « *Non, parce que j'ai peur d'être déçue.* »

On veut savoir
- « *Je veux tout savoir parce que quoi qu'il réponde, ça ne sera jamais pire que ce que j'imagine.* »
- « *Je veux savoir : Où ? Quand ? Comment ? Avec qui ? Et éventuellement lire ses notes sur le sujet.* »
- « *Bien sûr que je veux savoir ! Parce que je suis sûre que je gagne !* »

On s'en fout
- « *Il peut avoir couché avec tout Paris, je m'en fous royalement.* »
- « *Dans son cœur, je suis la seule et l'unique.* »

Si vous lui posez la question, le malheureux ne pourra pas s'en sortir. Chaque réponse sera passée au crible de notre talent caché : la mauvaise foi.

- **Si c'est beaucoup :**
« *Je n'ai pas à te faire de commentaires, c'est ta vie et je le respecte. Mais j'ai juste une question : tu peux me dire avec qui tu n'as PAS couché ?!* »
- **Si c'est peu :**
« *Mouais, c'est ça...* »
- **S'il ne s'en souvient pas :**
« *Donc toi, tu couches avec des filles, tu t'en souviens pas ?! Mais c'est quoi les filles pour toi, des numéros ?! Ah ben, non ! Même pas ! Sinon, tu saurais à combien tu en es...* »

Je ne suis pas ta mère !

Certains hommes ont la fâcheuse tendance à nous considérer comme leur mère. Combien de fois avons-nous prononcé la fameuse phrase : **« Je ne suis pas ta mère ! »**.
Mais peut-être y a-t-il des raisons à cela, réfléchissez-bien.
Rien ?! Non, vraiment ? Vous ne voyez pas pourquoi ?

« Oooh, tu t'es écorché le genou, viens là mon chéri, je vais te faire un bisou magique. »
Petit rappel : Hugo a 32 ans.

« Oui, ils s'amusent, mais ils ne savent pas s'arrêter et après ils se font mal ! »
Quand on parle de nos mecs avec la voisine.

« Tu t'es lavé les mains ? Tu t'es brossé les dents ? Tu es allé faire pipi ? Mange moins vite ! »
Évitons au moins de dire ça devant ses collègues.

« Ne monte pas sur ce poteau, tu vas te blesser ! »
C'est la troisième fois qu'il nous fait le coup.

« Que je ne vous voie pas faire la bagarre avec Zaïd ! »
On pensait que ça leur passerait après la fac...

« Tu t'amuses, mais je te préviens, tu ranges après. »
Quand notre mec a décidé de cuisiner.

« Non ! Pas question d'acheter ça ! Après ça reste dans sa boîte et puis y en a déjà plein le garage ! »
Fonctionne avec à peu près tout ce qui est vendu dans une boîte.

« Tu as voulu un chien mais je te préviens : tu t'en occupes ! »
C'est encore moi qui vais tout faire.

« Tu as voulu un enfant mais je te préviens : tu t'en occupes ! »
C'est encore moi qui vais tout faire.

Les photos coquines

Pour créer un état d'excitation chez l'être désiré, que ce soit en préliminaires ou pour maintenir la flamme d'un couple, nous pouvons toujours compter sur « la photo coquine ». Oui mais voilà, même dans ce domaine, on ne fait pas n'importe quoi !

« J'avais envie de lui envoyer une photo d'une partie de mon corps mais j'ai paniqué, je lui ai envoyé la photo de mon mollet. »

« Il voulait que je lui envoie une photo coquine de moi, du coup j'ai pris la photo d'une fille sur Instagram qui me ressemblait vaguement… En noir et blanc avec un filtre, ça a fait l'affaire. »

« J'en avais faite une pour mon ex, je lui ai envoyé comme si je venais de la prendre à l'instant. C'était parfait ! D'autant qu'à l'époque j'avais cinq kilos de moins. »

« J'avoue que quand il m'a demandé une photo de mon coude, j'ai flippé… »

NE VOUS LAISSEZ PAS SURPRENDRE

Le jour où vous vous trouvez jolie, où il y a une belle lumière, faites une ou deux photos coquines, vous les aurez d'avance et vous ne serez ainsi jamais prise au dépourvu. Sinon, vous allez vous retrouver à faire une photo à la va-vite, et là, les résultats peuvent être catastrophiques. On la connaît l'histoire…

Attention !

On ne sait pas ce que vont devenir ces photos. Elles peuvent être volées, perdues, piratées, délibérément publiées par votre ex, etc. Alors rappelez-vous une chose importante :

 ÉVITEZ DE MONTRER VOTRE VISAGE SUR CES PHOTOS.

---

*On arrêtera
de penser
qu'on va réussir
à utiliser notre box
avant sa date
de péremption.*

L'homme parfait/Notre mec (suite)

L'homme parfait	Notre mec
J'ai accouché moi-même ma femme à la maison.	*Nous, on a eu une équipe géniale, ils ont été aux petits soins quand je me suis évanoui.*
Tu ne trouves pas que ce vin a un arrière-goût de banane ?	*Allez, cul sec !!*
Je me retire prendre un moment pour moi.	*Mets la musique plus fort, je vais faire caca !*
Mon fils est ceinture marron de krav maga.	*Regarde le mien, il sait faire la roue. Enfin... La roulade.*
Ce week-end, j'ai fait de l'escalade à Buoux en Luberon, c'est un site majestueux avec une falaise en calcaire gréseux.	*Moi, je devais faire de l'accrobranche mais ils ont pas voulu, parce que j'avais des tongs.*
J'ai acheté un petit vin sans sulfite, vous m'en direz des nouvelles.	*Y a le cubi dans la baignoire !*
Magnifique, ce tableau de Delacroix... Intense.	*Hihi, on y voit les couilles...*

Notre mec est
plus « connasse » que nous

Il arrive toujours un moment dans une relation où on regarde son mec et où on se pose LA question : **« Est-ce qu'il ne serait pas devenu plus connasse que moi ? »**

« J'ai vu mon mec se mettre dans tous ses états et hurler "Zizouuuuu, je t'aime !" (avec une voix très aiguë) quand il a aperçu son idole dans les tribunes du stade. »

« Mon mec fait la gueule depuis tout à l'heure parce que le coiffeur lui a "complètement raté sa coupe"... Même si j'avoue ne voir aucune différence. »

« Mon mec adore les ragots ! Il veut absolument que je lui raconte ceux de mon boulot alors qu'il ne connaît même pas mes collègues... Je crois qu'il est accro. »

« J'ai chopé mon mec en train de se prendre en photo dans la glace de la salle de bains après sa séance d'abdo. »

« Mon mec connaît tous les prénoms des sœurs Kardashian. »

« Au restaurant, mon mec prend l'accent italien pour placer les trois mots qu'il connaît : "al dente", "parmigiano" et "ristretto"... Il est breton. »

« Mon mec fait la gueule à son meilleur ami depuis deux semaines parce qu'il a préféré mettre la playlist de Julien plutôt que la sienne à son anniversaire. »

« J'ai surpris mon mec en train de faire des pompes avant de descendre à la piscine, pour gonfler ses pecs... »

« Mon mec refusait de sortir "parce qu'il avait rien à se mettre"... J'ai dû prendre vingt minutes pour l'aider à choisir un tee-shirt gris. »

On est faits l'un pour l'autre...
La preuve !

Lorsqu'on est amoureuse, nous avons une légère tendance à voir des signes partout, des signes qui pourraient confirmer que « cette fois, c'est le bon ! » Et évidemment on a tendance à se servir de ces signes pour essayer de convaincre notre entourage...

« Attends, c'est dingue parce qu'il est sagittaire et moi je suis capricorne ! »

C'est vrai que c'est dingue...

« On fait des projets ensemble, il a même dit qu'un jour il voudrait peut-être des enfants ! »

C'est sûr que c'est précis comme projet... Est-ce qu'il a aussi dit qu'il voudrait « peut-être une maison un jour » ?

« Il est comme moi, il adore le wasabi ! »

Tu as raison, ça ne peut pas être une coïncidence...
Épouse ce mec !

N'essayez pas de doucher l'enthousiasme de votre amie, ça ne sert à rien.
Laissez faire le temps...

« Je ne le supporte plus, il a le comportement typique du sagittaire ! »

« On ne fait aucun projet ensemble ! Il me dit "qu'un jour", il voudrait "peut-être" des enfants. »

« Ce mec est bizarre, tu te rends compte, il adore le wasabi ! »

Le complexe de l'infirmière

Depuis la nuit des temps (c'est dire comme c'est vieux) certaines femmes sont systématiquement attirées par les hommes torturés, névrosés, abîmés par la vie...
(On voit le petit rictus qui est en train de se dessiner sur votre visage...)

Et le pire c'est qu'elles pensent sincèrement qu'elles vont réussir à les guérir, qu'avec elles ce sera différent, qu'elles peuvent les changer, les sauver... Et plus ils sont névrosés, plus ils vont mal, plus elles pensent qu'elles peuvent les sauver.
C'est ce qu'on appelle **LE COMPLEXE DE L'INFIRMIÈRE.**

« Dès qu'il y a un mec un peu perdu, il est pour moi ! Je sais pas d'où ça vient, petite déjà, je rapportais tous les chiens errants du quartier. »
> La comparaison n'est pas très flatteuse, mais on voit ce que vous avez voulu dire.

« Petite, quand je regardais le dessin animé Albator, je le trouvais déjà très attirant avec sa cicatrice et son œil en moins. »
> Albator est un pirate de l'espace qui vit dans un vaisseau spatial, il y a plus stable comme situation.

« Il a déconné dans le passé, mais il peut changer ! »
> Bicheeeeeette...

Vous pourrez l'aider mais vous ne pourrez pas le changer.
Vous allez perdre beaucoup de temps et d'énergie parce qu'on ne change pas*.
Est-ce que Brenda a changé Dylan ?!
Est-ce que Carrie a changé Mr. Big ?!
Est-ce que Bob l'éponge a changé Patrick ?!

---

* Comme le dit CÉLINE dans la chanson éponyme.

**On arrêtera
de déclarer : « Je suis
à fond yoga »
parce qu'on a
acheté un tapis.**

« Mon couple est parfait ! » = Grosse menteuse

Première possibilité :

Vous pensez réellement que votre couple est parfait et dans ce cas on vous souhaite tout le bonheur du monde. (On ne réveille pas un somnambule !)

Deuxième possibilité :

Vous êtes consciente que votre couple n'est pas parfait mais vous vous obstinez à vouloir faire croire le contraire aux autres. Pourquoi ?

On sait que c'est du fake ! Et pour cause, on est en couple nous aussi !

Cas pratique : La photo du petit-déjeuner parfait en amoureux

- Si on voit le couple réuni sur la même photo, c'est qu'une troisième personne est présente avec eux dans la chambre d'hôtel, ce qui est quand même chelou pour un week-end en amoureux.

- La photo semble prise sur le vif, au saut du lit... La fille est maquillée et le mec a les pecs gonflés (il vient de faire une série de pompes dans la salle de bains avant de retourner au lit).

- Ils devaient vraiment s'ennuyer pour se dire : *« Nous sommes tous les deux dans une chambre d'hôtel, qu'est-ce qu'on pourrait bien faire ? Et si on passait une heure à se mettre en scène pour une photo Insta ? »*

- Ils ont écrit #nofilter. (La photo est en noir et blanc !)

C'est votre mariage, pas le nôtre !

Quand il est question d'enterrement de vie de jeune fille, les demoiselles d'honneur ont beaucoup d'imagination :

« On n'a qu'à toutes partir en week-end en jet privé à Bali dans un spa 7 étoiles... Et bien sûr, on invite la mariée ! »

Ouep ! Mais ça requiert un budget qui est l'équivalent du PIB d'un petit pays d'Amérique latine.

Chères mariées, pensez que toutes vos amies n'ont pas les mêmes moyens que vous, et surtout, n'oubliez pas qu'il s'agit de VOTRE mariage ! Pas du nôtre !
Et qu'on aimerait bien ne pas avoir à casser notre PEL pour l'occasion.

« Mais ça n'arrive qu'une fois dans une vie ! »
FAUX !
(Regardez les statistiques.)

« Je veux un mariage comme dans les films américains, avec des demoiselles d'honneur et tout et tout. »
Ohhhhh ! Bichette, on sait ce que tu veux faire... Mais il est de notre devoir de mettre le holà !

Règles à respecter :

1. N'imposez pas un modèle de robe à vos copines.
Imposer le port d'une robe sirène à bustier violette à sa pote qui fait du 46 est considéré comme un affront de catégorie 2.
2. Il est interdit d'imposer une couleur de thème entrant dans la catégorie MOK.
MOK = marron, orange et kaki.

Le mariage parfait est une connasse !

Il existe certaines situations dans la vie où, on a beau faire, on manquera toujours d'objectivité, et le mariage en fait clairement partie.

On pense toujours que notre mariage est parfait et puis, quelques années plus tard, on retombe sur les photos…

> « Oh mon Dieu ! Comment avez-vous pu me laisser porter ça ? Oui, je voulais être une mariée sexy, mais là… C'est plus sexy… On dirait que j'ai acheté ma robe dans un sex shop. »

Vous partiez pourtant avec les meilleures intentions…

« Je me suis beaucoup inspirée du mariage de Kate et William en 2011. »
Quoi ?! Eux aussi, ils l'avaient fait dans une bodega ?

« Je tiens à m'occuper de la décoration moi-même. »
Tu es sûre du thème « tuning et papillons » ?

« Pour le repas, j'ai beaucoup hésité entre viande et poisson. »
Et du coup t'as pris des steaks de surimi ! Bon compromis !

Dites-vous bien que ce ne sera jamais parfait… et c'est tant mieux ! Ce sera votre mariage et le but c'est qu'il vous ressemble et que vous soyez entourés des gens qui vous aiment (et que la liste des cadeaux de mariage soit respectée).

Et n'oubliez pas les proverbes :
> « Mariage pluvieux, mariage heureux. » (Oui, on sait que c'était « plus vieux » à la base, fais pas ta crâneuse !)
> « Une bagarre dans un mariage porte bonheur aux mariés. »
> « Si la mariée vomit… Santé bonheur pour toute la vie ! »

Le bouquet de la mariée...
Ce moment gênant

Lors d'un mariage, la tradition veut que la mariée jette son bouquet à l'aveugle, derrière son épaule, et que les femmes célibataires essaient de le récupérer. Celle qui aura attrapé le bouquet deviendrait « la prochaine mariée ».

Malheureusement, la tradition veut aussi que ce soit un moment gênant.

Florilège de moments gênants :

- Quand on entend : « La mariée va lancer le bouquet » et que tout le monde se retourne vers toi comme si c'était un peu la chance de ta vie.

- **Quand quelqu'un s'écrie : « Oh ben non, c'est Sonia qui l'a ! C'est nul ! »**

- Quand une fille en couple se bat pour récupérer le bouquet et que tout le monde regarde son mec, gêné.

- **Quand la mariée décide de refaire le lancer parce qu'elle tient absolument à ce que ce soit sa cousine Mathilde qui l'ait.**

- Quand celle qui a attrapé le bouquet te l'offre en te disant : « Tiens, tu en auras plus besoin que moi. »

- **Quand tu te retrouves à mentir devant toute ta famille : « Moi, j'y vais pas parce que je suis déjà mariée en fait. »**

- Quand on te reproche d'avoir attrapé le bouquet : « Tu aurais pu le laisser à Samia ! Elle a quand même plus de chance que toi de s'en servir. »

- **Quand tout le monde s'écarte, que le bouquet tombe par terre et que personne ne se dévoue pour le ramasser.**

Le cauchemar de la cagnotte en ligne

Depuis quelques années, le concept de la cagnotte participative s'est répandu sur Internet.
Plus besoin de galérer à trouver un cadeau, d'avancer pour tout le monde ou de passer la soirée à chercher de la monnaie parce que « c'est 17,45 euros par personne ! ».

On fait une cagnotte en ligne !

Seulement voilà, certains ont tendance à en abuser, notamment les futurs parents :
> « *Mathias et moi souhaitons vous annoncer l'arrivée prochaine d'un heureux événement. Vous trouverez ci-joint le lien de la cagnotte en ligne.* »

Suivront ensuite quatre autres cagnottes :
- pour la baby shower ;
- pour la visite à l'hôpital ;
- pour le cadeau de naissance ;
- pour le baptême/la circoncision, etc.

BIENTÔT VOS ENFANTS NOUS COÛTERONT PLUS CHER QUE LES NÔTRES !

- « *Je ne veux pas être celle qui prend le cadeau le moins cher, c'est pour ça que je fais en sorte d'être toujours dans les premiers.* »
- « *Je m'y suis prise trop tard, il ne restait plus que l'abonnement au Cellu-M6 à 600 euros sur la liste.* »
- « *C'est moi ou une paire de Louboutin n'a rien à faire dans une liste de cadeaux de naissance ?!* »

Alors, sachant que j'ai déjà donné pour ton pacs, tes fiançailles, ton enterrement de vie de jeune fille, ton mariage... Et que toi, tu m'as offert des sels de bain pour mon anniversaire... Je crois que je vais passer mon tour !

Force est de constater que la pratique de la cagnotte en ligne se diversifie :

« *Je vous invite à manger samedi ?* » (+ Lien cagnotte)
Alors, nous n'avons pas la même définition du terme « inviter ».

« *Touchés par le courage des demandeurs d'asile soudanais, nous avons décidé de faire le tour du monde avec trois amis, pour apporter notre bonne humeur aux populations locales.* » (+ Lien cagnotte)
Tu es sûr que c'est de « bonne humeur » qu'ils ont besoin ?

« *Pour mon anniversaire, pas de cadeaux merci ! Y a une cagnotte !* » (+ Lien cagnotte)
Mais je peux aussi te faire un virement ? Ou un prélèvement sur salaire ? Tu prends les tickets resto ?

« *On s'éclate à faire le tour du monde et on aimerait bien que ça continue... Alors à votre bon cœur !* » (+ Lien cagnotte)
Hahahaha !

« *Je suis une ancienne Miss Météo, je ne vais quand même pas faire comme tout le monde pour payer mes dettes...* » (+ Lien cagnotte)
No comment.

« *Je cherche à financer un spectacle de marionnettes, hommage à Lima Cuzco, auteur péruvien du XIVe siècle. Vous serez emportés dans plus de cinq heures de fantaisie créative, au son du hang.* » (+ Lien cagnotte)
Si je paie, je suis obligée de venir ?

« *On se marie en petit comité, mais si vous voulez participer...* » (+ Lien cagnotte)
ON NE VA PAS PAYER POUR UNE FÊTE À LAQUELLE ON N'EST PAS INVITÉ !

Quand la vie nous sourit, on arrêtera de focaliser sur le bout de salade qu'elle a entre les dents.

« Je vois quelqu'un... »

Il y a quelques années de cela, on m'a fait une révélation qui a changé ma façon de voir les choses à tout jamais. L'histoire se déroule à l'été 2015, je bois un verre avec un ami et alors que je m'enquiers de l'état de sa vie sentimentale, il me répond :

– *Je vois quelqu'un en ce moment...*
– *Tu as une copine ?*
– *Disons que je vois quelqu'un...*
– *Vous êtes ensemble ou pas ?*
– *Non, on n'est pas ensemble, on se voit...*
– *C'est un plan cul ?*
– *Non.*
– *Un sex friend ?*
– *Non plus.*
– *Juste une copine alors ?*
– *C'est rien de tout ça, c'est juste qu'on se voit.*
– *Bon, laisse tomber, je comprends pas.*

J'avais été un peu lourde mais j'avais besoin de savoir.

– *J'adore cette fille mais je veux pas m'engager.*
– *Ah Ok, « la peur de l'engagement ».*
– *Ok, je vais être clair ! Pour un mec, le monde est un grand magasin de jouets. Je ne vais pas me précipiter à la caisse parce ce qu'on ne sait jamais, il y a peut-être la PS6 qui va sortir entretemps...*
– *...*

Alors c'était ça ?!
C'était devant nos yeux et nous, on n'a rien vu !

> **UN HOMME QUI NE VEUT PAS S'ENGAGER, C'EST PARCE QU'IL VEUT RESTER DISPONIBLE SI UNE MEILLEURE OPPORTUNITÉ SE PRÉSENTE À LUI.**

La loi de la pesanteur

Ou loi universelle de la gravitation

Isaac Newton la formula en 1687 dans ses Principes mathématiques de la philosophie naturelle *en trois volumes***.
La loi universelle de la gravitation dit qu'il existe une attraction mutuelle entre tout ce qui a une masse. Cette attraction dépend des deux masses en question, de la distance entre elles, et d'une constante appelée « constante gravitationnelle »...

Pour vous la faire courte et pour simplifier :
TOUT CE QUI MONTE REDESCEND !
Donc, ne vous la racontez pas trop !

« Sois humble avec ceux que tu croises en montant l'escalier, ce sont les mêmes que tu vas croiser en redescendant. »

La théorie du LOW PROFILE (profil bas)
Arrêtez de nous en foutre plein la gueule avec votre bonheur !
Bien sûr, on ne souhaite pas que les gens soient malheureux, mais on a besoin de sentir que ce n'est facile pour personne.

Petit conseil de début de relation : Les filles ! Quand vous venez de rencontrer un garçon, de tomber amoureuse... Faites « low profile », parce que le jour où il vous trompera et/ou vous larguera comme une merde, les copines que vous aurez narguées ne pourront effacer ce petit rictus de leur visage, faudra pas venir se plaindre.
Alors PROFIL BAS LES MEUFS EN COUPLE !

---

* On n'a lu que les deux premiers tomes, la fin est pas ouf.

Don't touch

Il existe une catégorie de filles qui cherchent systématiquement à séduire les mecs « en couple ». Elles tentent de se rassurer sur leur pouvoir de séduction et, par là même, d'exister. Elles compensent ainsi une insécurité affective en se rassurant avec les mecs des autres... Ben tiens !

« Je suis désolée, je ne savais pas que vous étiez ensemble. »

→ **Et le fait qu'il ait dit trois fois « ma copine »
en parlant de moi ne t'a pas mis la puce à l'oreille ?**

« Quoi ? C'est pas ma faute si j'attire le regard des hommes... »

→ **C'est pas le regard que tu attires, chérie.**

« Attends mais j'ai pas dragué ton mec, je me suis juste assise sur ses genoux... »

→ **Et moi, je ne t'ai pas tapée,
je t'ai juste caressé la joue très fort.**

Ces filles existent, elles rôdent, tapies dans l'ombre, prêtes à bondir... Pour autant, il ne faut pas céder à la paranoïa. Rappelez-vous que le fait qu'une fille ait dit bonjour à votre mec ne signifie pas forcément qu'elle désire avoir une relation sexuelle avec lui.

 Attention, toutes les filles ne draguent pas votre mec !
Inutile de faire pipi autour pour marquer votre territoire...

On ne comprend pas
ce qu'il fait avec elle

On connaît tous un mec super qui sort avec une « connasse ».

- Qu'est-ce qu'elle a que nous n'avons pas ?
- Qu'est-ce qu'elle fait que nous ne faisons pas ?
- Comment fait-elle ?
- Quel est son secret ?
- Quels sont ses réseaux ?

Tellement de questions et si peu de réponses…
Eh bien, sachez que tout a été une question de timing !
Certains hommes ne savent pas rester seuls et ça, la connasse le sait !
Elle attend, tapie dans l'ombre, prête à lui sauter dessus au moment venu.

Ça se joue parfois à quelques heures, c'est une brèche dans laquelle elle a su s'engouffrer*.

De la même façon, lorsqu'on voit dans la rue un mec canon avec une fille nettement moins bien que lui**, on se demande toujours quel est son secret.

Son secret est : LA CONFIANCE EN ELLE

Ces filles ont eu assez confiance en elles pour tenter leur chance, alors que nous n'aurions jamais osé.
Elles ont cru en elles et c'est ça la clef de la réussite !
Un bon timing, un peu de chance et beaucoup de confiance.

Alors, à toutes celle qui sortent avec des canons, nous disons :

BRAVO LES FILLES ! BIEN JOUÉ !

(Il faut imaginer qu'une à une toutes les personnes de l'assemblée se lèvent pour saluer le courage de ces filles.)

---

* Cf. cette idée d'application pour téléphone mobile qui nous alerterait de son célibat.
** Oui, la beauté est subjective… blablabla, la beauté vient du cœur… blablabla.

Ma copine sort avec un blaireau

Notre amie, si rayonnante, si talentueuse, si intelligente, sort avec un BLAIREAU.

C'est malheureux mais c'est pourtant assez fréquent.

Le blaireau n'est pas réellement dangereux, c'est juste un blaireau, mais il est de notre devoir de BFF de le faire comprendre à notre amie.

Il est temps de faire une intervention !

Nous allons donc essayer de lui faire passer le message, sans trop la brusquer pour qu'elle ne se braque pas. Pour cela, plusieurs possibilités s'offrent à nous :

- **La version devinette :**
  « Ce nom masculin désigne plusieurs espèces de mammifères appartenant à la famille des Mustelidae... C'est... C'est... ? »
- **La version Pyramide :**
  « Je vais le tenter en deux briques : animal... »
- **La version chantée :**
  « ♪ Yeahhhhhhh lalalala... Ton meeeeec est un blaiiiii-reauuuuuu... ♪ »
- **La version tweetée :**
  « RT si tu penses que le mec de Coralie est un blaireau. »
- **La version Kamoulox :**
  « Je galoche Eddy Mitchell et je coiffe une crevette... »
- **La version Pictionary :**

Faut-il dire à notre amie qu'elle est cocue ?

Selon un sondage Ifop, un tiers des femmes ont déjà trompé leur partenaire au cours de leur vie. Le chiffre est en augmentation, mais reste inférieur à la proportion d'hommes ayant déjà été infidèles, qui atteint presque 50 %.

Mais vous-même, si vous étiez trompée, souhaiteriez-vous le savoir ?

Et si vous appreniez que votre amie l'était, lui diriez-vous ?

Prenons un temps pour évaluer les conséquences de ce choix.

Vous décidez de lui dire :
1. Il est possible qu'elle vous remercie sincèrement car elle préfère savoir la vérité plutôt que de rester dans l'ignorance.
2. Elle risque de se braquer et peut même vous reprocher la façon dont vous lui avez annoncé. (On est souvent de mauvaise foi dans ces cas-là.)
3. Elle peut se braquer du fait de savoir que vous savez. Elle ne pourra malheureusement plus vous regarder dans les yeux et votre amitié sera à jamais brisée.
4. Peut-être qu'elle ne voulait pas savoir et qu'elle vous en voudra donc de le lui avoir dit. Elle vous reprochera alors d'avoir gâché sa vie. (Drama !)

Vous décidez de ne pas lui dire :
1. Il vous faudra vivre avec ce secret toute votre vie.
2. Vous ne pourrez sûrement plus parler à son mec et vos rapports risquent d'en pâtir.
3. Vous n'oserez peut-être plus regarder votre amie dans les yeux et votre amitié sera à jamais brisée.
4. Elle risque de l'apprendre par quelqu'un d'autre et saura que vous le saviez, et vous perdrez son amitié à jamais.

P.-S. : Si vous n'avez pas eu la chance de lire notre livre avant que cela n'arrive, la meilleure des solutions reste que quelqu'un d'autre lui annonce et qu'elle n'apprenne jamais que vous étiez au courant.

Pour éviter ce type de situation et les conséquences dramatiques que cela peut engendrer, il est indispensable de poser
la question en amont à vos amies.
*Voici trois bons à découper et à remettre à vos trois amies
les plus proches afin qu'elles sachent comment agir en cas
d'urgence.*

Nom : _____

Prénom : _____

Groupe sanguin : _____

Souhaite être avertie en cas de tromperie :

☐ OUI / ☐ NON

Nom : _____

Prénom : _____

Groupe sanguin : _____

Souhaite être avertie en cas de tromperie :

☐ OUI / ☐ NON

Nom : _____

Prénom : _____

Groupe sanguin : _____

Souhaite être avertie en cas de tromperie :

☐ OUI / ☐ NON

BON DÉLIVRÉ PAR _____

POUR _____

Pour savoir comment agir en cas d'urgence

P.-S. : Si vous êtes en possession de ce bon,
il n'y a que deux règles à suivre :
1/ Ne pas poser de question.
2/ Respecter mon choix.

BON DÉLIVRÉ PAR _____

POUR _____

Pour savoir comment agir en cas d'urgence

P.-S. : Si vous êtes en possession de ce bon,
il n'y a que deux règles à suivre :
1/ Ne pas poser de question.
2/ Respecter mon choix.

BON DÉLIVRÉ PAR _____

POUR _____

Pour savoir comment agir en cas d'urgence

P.-S. : Si vous êtes en possession de ce bon,
il n'y a que deux règles à suivre :
1/ Ne pas poser de question.
2/ Respecter mon choix.

On arrêtera de ne se laver que la frange et de considérer qu'on a les cheveux propres.

« J'ai fait de toi ce que tu es ! »

Combien de femmes ont rencontré un homme alors qu'il n'était rien et, pendant des années, elles ont travaillé pour l'élever, le faire évoluer, le tirer vers le haut... **Elles ont fait de lui ce qu'il est aujourd'hui !**

De nombreux témoignages nous sont parvenus, la plupart édifiants.

- *« Avant de me connaître, Jérémy était incapable de différencier une poudre matifiante d'une terracotta ! »*
  Même si on n'est pas sûres que ça lui serve à grand-chose.

- *« Je l'ai coaché. Avant moi, il n'était rien. Il portait des chaussettes blanches dans ses chaussures de ville. »*

- *« C'était un 4, j'en ai fait un 8. »*

- *« Quand j'ai rencontré David, il portait des claquettes et la nuque longue... Aujourd'hui, c'est l'homme le plus sexy de la planète. »*
  Victoria Beckham (Bon, elle l'a peut-être pas dit mais elle l'a pensé.)

- *« Dites-vous bien que si sa nouvelle copine a un orgasme aujourd'hui, c'est grâce à moi ! »*

Nous savons à quel point ça peut être frustrant, tant de temps et d'énergie dépensés, pour si peu de gratification. Voyez plutôt ça comme votre œuvre, il vous doit tout. C'est vous qui avez fait de lui l'homme qu'il est* aujourd'hui et ça, il le sait** !

---

* Et réciproquement, mais on va pas passer tous nos chapitres à le répéter, ils n'ont qu'à écrire leur propre livre.

** Et s'il a tendance à l'oublier, ce livre est là pour le lui rappeler.

« Comment ça, un détail ?! »

Tout paraissait parfait dans cette histoire, ce garçon avait tout pour vous plaire, mais ça, c'était avant le drame...

Un détail, un geste, une parole malheureuse, et la magie s'est brisée.

Nous bloquons parfois sur des détails qui pourraient paraître insignifiants pour d'autres mais qui, pour nous, sont rédhibitoires.
(Notre degré de tolérance est très variable si l'on est amoureux ou pas.)

- **« J'ai rien vu venir, c'était lors de notre premier week-end, on se baladait sur le port quand, tout à coup, il a mis son pull autour du cou. Rien n'a plus jamais été comme avant. »**

- *« Oui, il était super, mais maintenant je peux l'avouer, il avait des toutes petites mains. Quand je les regardais, je ne pouvais pas m'empêcher de penser à Chucky la poupée de sang. »*

- **« Lors de notre première nuit, j'ai découvert qu'il avait le portrait de Johnny tatoué sur la cuisse droite et juste au-dessus, au niveau de l'aine : "Allumez le feu !". »**

- *« On s'était donné rendez-vous au cinéma et, alors que je sortais du métro, je l'ai vu arriver en trottinette. J'ai tout de suite fait demi-tour. »*

- **« Oui, ça faisait six ans qu'on était ensemble, mais j'ai dû m'en séparer, il s'obstinait à prétendre que Jack Nicholson n'était pas le meilleur des Joker. »**

- *« J'avais accepté le fait qu'il soit impuissant, criblé de dettes et qu'il ait une jambe de bois... En revanche, je n'ai pas supporté qu'il mange la bouche ouverte ! »*

- **« Il s'est avéré être un Poufsouffle... »**

On se souviendra que le meilleur moment pour une rupture est le mois de mai (également considéré comme le mois du « Mercato »).

Les raisons les plus improbables pour lesquelles on a largué un mec

- Il a dit : « À plus dans le bus ! »

  → *En public, en plus.*

- Il avait un sac à dos qu'il attachait sur le devant avec des petits mousquetons.

  → *Le fait même qu'il y ait des mousquetons sur son sac à dos suffisait.*

- Il écoutait de la country !

  → *Et le fait qu'on écoute encore le best of d'Ace of Base, on en parle ?!*

- Il a voté pour [***]

  → *[Mettre le nom qui vous met le plus mal à l'aise.]*

- Il n'a jamais vu *Retour vers le futur*.

  → *No comment.*

- Il s'est acheté un pantalon en lin blanc.

  → *Je lui ai dit : « c'est lui ou moi ! »*

- Il a dit que *Harry Potter* c'était « de la merde ».

  → *Hinn ! Réflexion typique d'un Serdaigle.*

- Il respirait fort.

  → *Bien plus fort que la moyenne.*

- Il sentait la soupe.

  → *Même si on n'a jamais vraiment compris ce qu'Audrey voulait dire par là.*

- Il a pris l'accent chinois en commandant au restaurant.

  → *Rien ne justifie ça.*

- Il nous a avoué que les Robins des Bois ne l'ont jamais fait rire.

  → *Tu sors !*

Les chansons tristes à écouter quand on vient de se faire larguer

Notre but dans la vie, c'est d'être heureux, mais, étrangement, lorsque nous sommes tristes, nous avons tendance à enfoncer le clou en écoutant de la musique triste, comme si on voulait savourer chaque instant de cette tristesse.

- **« Confessions nocturnes », Diam's/Vitaa**
- « Tout doucement », Bibie
- **« Angels », Robbie Williams**
- « She », Elvis Costello
- **« Je suis malade », Serge Lama**
- « Someone Like You », Adele (et tout le répertoire d'Adele)
- **« Philadelphia », Neil Young**
- « Always on My Mind », Elvis Presley
- **« Reality », Vladimir Cosma (*La Boum*)**
- « Your Eyes », Cook da Books (*La Boum 2*)
- **« Ne retiens pas tes larmes », Amel Bent**
- « Stay », Rihanna
- **« Ne me quitte pas », Jacques Brel**
- « Still Loving You », Scorpions
- **« Puisque tu pars », Jean-Jacques Goldman**
- « Please Forgive Me », Bryan Adams
- **« Avec le temps », Léo Ferré**
- « Perfect Day », Lou Reed
- **« Tout est fini entre nous », Lara Fabian**
- « Hurt », Christina Aguilera

Chanson à ne PAS écouter quand on vient de se faire larguer :
- « Tu veux mon zizi ? », Francky Vincent

Comment se mettre en scène
quand on est triste

Lorsque nous sommes malheureuses, nous avons la fâcheuse tendance à avoir envie que ça se sache et, pour cela, il y a tout un cérémonial à respecter.

Un gros chagrin d'amour nécessite des moyens conséquents, et le meilleur moyen de réussir son « épisode dépressif » est de bien se mettre en scène.

- **Marcher sous la pluie en écoutant de la musique à fond.**
  Si vous avez une santé fragile, asseyez-vous plutôt à côté de la fenêtre ruisselante et regardez la pluie tomber en prenant un air triste (le port de grosses chaussettes en laines avec un mug est toujours un plus pour la théâtralité de la scène).

- **Se servir un énorme verre de vin rouge et s'installer sous un plaid en pilou.**
  En revanche, on ne peut pas remplacer le vin par une canette de bière, ça gâcherait la mise en scène. (Si on vous voit avec une canette de 8.6 chaude, on sera dans l'obligation d'intervenir.)

- **Se regarder pleurer devant le miroir.**

- **Porter des lunettes de soleil, même à l'intérieur, pour signifier au monde :**
  « Je souffre, Ok ?! J'ai besoin que le monde le sache ! »

- **Mettre un statut « énigmatique » sur Facebook, dans le but de se faire plaindre.**
  « Aujourd'hui, une larme s'est installée sur mon cœur... »
  « J'ai touché le fond de la piscine, dans mon p'tit pull marine... »
  « J'ai pas trop envie d'en parler, mais ça va pas fort aujourd'hui. »

*On évitera
de hurler : « C'est
ma chanson !!! »
quand on entend
« J'irais où tu iras »
de Céline Dion.*

Qu'est-ce que vous n'avez pas compris dans le mot « rupture » ?!

Après une séparation, sachez que si vous continuez à voir votre ex autant qu'avant, que vous l'appelez plusieurs fois par jour et/ou que vous le bombardez de textos (et réciproquement) :
CE N'EST PAS CONSIDÉRÉ COMME UNE RUPTURE.
À quel moment vous n'avez pas compris le terme « rupture » ? Dont la définition est pourtant simple : **« fait, pour des personnes, de cesser d'entretenir des relations ».**

Bien sûr, il n'est pas question de ne plus jamais vous voir de votre vie, ou d'aller écrire « SATAN » en lettres de sang sur sa porte d'entrée, mais pour qu'une rupture soit effective, il est **INDISPENSABLE** de respecter une période « sans contact ».

Nous estimons cette durée à **3 MOIS**. (Ne nous demandez pas ce qui nous a amenées à ce chiffre. Il s'agit d'un savant calcul beaucoup trop long à développer ici et il nous faudrait une équerre et un compas.)

Mais pour vous aider à comprendre ce processus, on a fait un schéma :

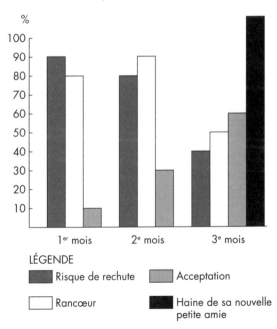

LÉGENDE

■ Risque de rechute   ■ Acceptation

□ Rancœur   ■ Haine de sa nouvelle petite amie

Le plan cul régulier/Le sex friend

Il est très important de bien faire la différence entre un « plan cul régulier » et un « sex friend ».
(Alors bien sûr, quand on dit « très important », nous sommes conscientes qu'il y a des choses bien plus importantes dans la vie, mais c'est quand même bien pratique de faire la différence entre les deux. Ne serait-ce que pour vous faire comprendre de vos amies lors de vos debriefs.)

Alors, petit rappel :

> **Plan cul régulier (PQR)** : vous ne partagez rien excepté le sexe. Il existe comme un accord tacite entre vous. Vous ne faites que coucher régulièrement ensemble.

Si ce n'est pas régulier, il s'agit alors d'un « plan cul » ou d'un « one shot ».

> **Sex friend (SF) :** vous couchez ensemble et vous aimez passer du temps ensemble, mais vous savez pertinemment que vous ne développerez pas de sentiments amoureux.

Il n'existe pas de statistiques sur l'évolution en relation amoureuse d'un PQR ou d'un SF. De nombreux témoignages nous parviennent de toutes parts, mais comme ils se contredisent pour la plupart, on vous souhaite à toutes bonne chance, et ce qui doit arriver arrivera*.

---

* Nous sommes conscientes que cette conclusion est pourrie, mais nous nous devions d'être honnêtes.

La demi-molle exploitable

Nous avions parlé dans un opus précédent* de la « demi-molle », mais loin de nous l'idée de vouloir culpabiliser les hommes. Ce livre a été ENTIÈREMENT écrit dans le but de déculpabiliser les femmes ET les hommes.
Cette précision étant apportée, une question subsiste :

Que faire d'une demi-molle ?

La pression, la fatigue, l'alcool... Il y a beaucoup de raisons qui expliquent une demi-molle, mais cela ne veut pas forcément dire que l'homme n'est pas excité par sa partenaire. (Ça peut aussi être le cas, mais nous préférons rester positives.)

Il est donc question ici de la DME, c'est-à-dire la « demi-molle exploitable » (également appelée la MME, « mi-molle exploitable », selon les régions.)

Elle est assez fréquente, même si certains hommes l'ignorent puisqu'ils n'en parlent pas forcément entre eux ou qu'ils n'ont pas lu *La femme parfaite est une connasse !*
Rappelez-vous seulement que les hommes sont des êtres sensibles qui ont parfois besoin d'un petit encouragement. (Sauf si vous avez la flemme, ou bien si vous n'en avez pas envie.)

> **Ça ne sera pas la dernière fois que ça vous arrivera, mais rappelez-vous qu'il vaut mieux voir le slip à moitié plein plutôt qu'à moitié vide !**

---

* Parce qu'en fait, l'air de rien, on est en train d'écrire une saga sur la condition humaine.

Relancer la machine

En période de célibat (comme en couple), il peut s'écouler un certain temps sans qu'il ne se passe quoi que ce soit sur le plan sexuel.

Les jours, les semaines, les mois défilent et... rien.

Dans ces cas-là, on a toujours une copine pour nous dire :

**« Quoi ? Cinq mois ?! Je sais pas comment tu fais...
– Ben je fais pas justement... Connasse ! »**

C'est fou comme ça nous aide d'entendre ça !
Soyons claires ! Toute femme passe par un moment de calme sentimal. (On voulait écrire « désert sexuel » mais on s'est retenues.)
Il s'agit d'un cercle vicieux : moins « on fait de sexe », moins on en a envie et moins on a de chance de « faire du sexe ».

Il suffit parfois seulement de « relancer la machine », de regonfler son égo, de se sentir de nouveau désirable et ensuite...
Back in the game, baby !

LE SEXE, C'EST COMME BÉBÉ DANS UN COIN, ON NE L'OUBLIE PAS !

**ATTENTION, allez-y mollo !
Votre corps n'est pas préparé !**

On la connaît l'histoire, on se met sur lui
cinq minutes et on a une crampe au mollet.
C'est un coup à avoir des courbatures
aux cuisses le lendemain, ça !

Donc pensez à vous échauffer !

À quel moment peut-on considérer qu'on a couché ensemble ?

Nous vous imaginons en train de lire ce titre, perplexes... Vous vous dites même : « Mais qu'est-ce que c'est que cette question à la con ? »
Pourtant la réponse n'est pas si évidente que ça !
(D'ailleurs, vous y allez un peu fort avec « question à la con ».)

> Combien de fois avons-nous entendu (ou dit) :
> « **On n'a pas vraiment couché ensemble...** » ?

Ce « pas vraiment » est important car considérer avoir eu une relation sexuelle avec quelqu'un dépend d'un certain nombre de facteurs qui diffèrent selon les pays, les régions, les religions, les destinations de vacances, etc.

- On n'a pas couché ensemble.
- **On n'a pas terminé.**
- C'était très rapide.
- **On a fait des préliminaires mais pas plus.**
- On a couché ensemble mais c'était nul.
- **On a couché ensemble, enfin je crois... Non, je sais plus... Si... En fait je sais pas. C'est lequel Julien, un grand blond ?**
- On a couché ensemble mais on n'assume pas.

P.-S. : certaines Américaines ne considèrent pas la fellation comme un acte sexuel. **WHAT ?! WTF ?! ARE YOU SERIOUS ?!**

Le DILF/Le GILF

Nous avons abordé page 73 la question de la **MILF**, mais sachez que son équivalent masculin existe, il s'agit du « **DILF** », « *Dad I'd Like to Fuck* ».
Quoi de plus sexy que ce père célibataire, sexuellement attirant, qui semble nous dire : « *Je suis un mec viril mais je peux aussi chanter* La Reine des neiges ».

Il a déjà fait sa vie, sa carrière, ses enfants, et une autre femme s'est déjà donné la peine de le façonner. Nous arrivons donc à un moment de son existence où le plus gros du travail a été fait.

Avantages du DILF :
- Il est rassurant et responsable.
- Il est sexuellement expérimenté.
- Il a toujours un goûter sur lui.

Inconvénients du DILF :
- Il a un ou plusieurs enfants.
- Il n'est disponible qu'un week-end sur deux (car il fait sûrement partie des 92 % d'hommes qui n'ont pas la garde exclusive de leur enfant).
- Il est parano sur le fait que vous puissiez tomber enceinte (il met deux capotes l'une sur l'autre...).

LE GILF

Il s'agit du « *Gay I'd Like to Fuck* ».
Quoi de plus sexy que cet homme magnifique, sexuellement attirant, qui semble nous dire : « *Je suis un mec viril mais je peux aussi chanter* La Reine des neiges ».
Qui n'a pas eu un « Ziggy » dans sa vie ? Oui mais voilà, comme le dit CÉLINE : « On devrait se faire une raison, essayer de l'oublier ».

Règle n° 20

On arrêtera
de faire croire à tous
les mecs qu'ils sont
des bons coups,
ce n'est pas
leur rendre service.

L'homme parfait n'est pas tout seul dans son slip

* Ohh tout de suite… Comme si on allait parler de bite ?!
Ah si ! Au temps pour nous, on allait parler de bite.

La belle-mère parfaite
est une connasse !

S'il y a quelque chose de pire qu'une belle-mère, c'est la « belle-mère parfaite ».

Elle est aux petits soins avec son fils, cuisine à la perfection, s'occupe de son linge, lui rappelle ses rendez-vous. Elle est à la fois sa secrétaire, son infirmière, sa femme de ménage... **Et nous, on est censée passer après ça ?!**

La belle-mère parfaite a voué sa vie au bien-être de son fils et du coup lui a donné de très mauvaises habitudes.

● *« Ma mère ne le fait pas comme ça le tiramisu... »*
Sans rire ?! Oh ben je vais le refaire alors ! Pour qu'il ressemble exactement à celui de ta maman !! (On sent l'ironie ou pas du tout ?!)

● *« Bah ?! Ma mère s'est toujours occupée de mon linge... »*
Hahahaha !

● *« C'est bizarre que tu prennes autant de poids pendant ta grossesse non ? Ma mère n'avait pris que 7 kg. »*
Oui, mais ta mère est un animal à sang froid, du coup, il y a pas mal de différences au niveau de la gestation.

● *« Ma mère pense que... »*
Alors, je t'arrête tout de suite ! Je me fous royalement de savoir comment se termine cette phrase. D'ailleurs, si tu tiens à ton intégrité physique, tu ne prendras pas le risque de continuer.

Les connasses

Outre « la femme parfaite », il existe une multitude de « connasses ». Afin de pouvoir interagir avec elles, il est bon de savoir les identifier.

La prétentieuse :

(À ne pas confondre avec **la vaniteuse**, qui se vante dans le but qu'on l'aime et/ou la respecte.)
Il est assez facile de reconnaître la prétentieuse car lorsqu'on lui dit qu'elle est prétentieuse, elle répond aisément : *« Je ne suis pas prétentieuse, je suis ambitieuse, nuance ! »* ou encore *« Je dois m'excuser d'être ambitieuse, c'est ça ? »*

> Petit message personnel à la prétentieuse :
> Sache que ton excès de confiance et d'autovalorisation peut être mal vécu par les gens qui t'entourent et qui manquent de confiance en eux.
> En termes plus simples : *« Ok, tu te kiffes et c'est cool, mais les autres se sentent comme des merdes quand tu en fais des caisses ! »*

L'opportuniste :

Se dit d'une personne dont la conduite consiste à tirer le meilleur parti des circonstances, en le faisant parfois à l'encontre des principes moraux.

La michetonneuse :

Se dit d'une femme qui séduit par intérêt financier.

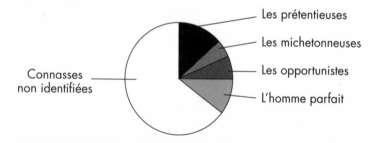

Connasses non identifiées

Les prétentieuses

Les michetonneuses

Les opportunistes

L'homme parfait

Chaque jour, toujours plus de nouvelles catégories de connasses apparaissent... Alors restons vigilantes et n'oublions jamais : « Une connasse qui naît, c'est une bibliothèque qui brûle. »

On se rappellera que :
« Un mec vaut
mieux que deux
tu l'auras ».

L'homme malade croit qu'il va mourir

> « Les garçons quand c'est malade, ça croit que ça va mourir !
> "Haaaa, je me suis coupé avec une enveloppe. Haaaa !" »
>
> **Florence Foresti**

L'homme se veut fort et robuste mais lorsque qu'il est malade, il se transforme en une petite chose fragile. Il pense qu'on ne se rend pas compte à quel point il souffre... Car il est bien connu que nous n'avons JAMAIS enduré une douleur égale ou supérieure à la sienne...

● L'homme parfait n'est jamais malade.
    Le nôtre pense avoir une maladie grave quand son nez coule.

● L'homme parfait dit toujours que le froid c'est dans la tête.
    Le nôtre veut toujours qu'on touche ses pieds « comme il sont froids ! »

● L'homme parfait a cautérisé sa plaie lui-même à l'aide d'un briquet.
    Le nôtre tient à ce qu'on lui fasse un bisou magique.

● L'homme parfait est capable d'apporter les premiers secours.
    Le nôtre s'évanouit quand il voit une goutte de sang.

● L'homme parfait ne prend jamais de médicament.
    Le nôtre a pris les médicaments qu'il a trouvés dans l'armoire, mais ne sait pas exactement ce que c'était. « Les rouges », a-t-il dit.

La star du lycée

Si nous vivions dans une série américaine, la « star du lycée » aurait été quarterback dans l'équipe de football de son collège, aurait un pick-up flambant neuf et sortirait avec Kelly, la chef des cheerleaders. Mais comme on vit en France, la nôtre s'appelait Julien, jouait dans un groupe de métal qui s'appelait « Euthanasia », avait un scooter Peugeot et un faux air de Kurt Cobain*.

Star du lycée	Mec normal
Il jouait de la guitare.	**Il jouait de la flûte.**
Il n'avait pas d'acné.	**On l'appelait « la calculette ».**
Il rackettait les plus faibles.	**Il était racketté.**
Il sortait avec la fille la plus populaire (celle avec les plus gros seins).	**Il était « le puceau ».**
Il avait des vêtements de marque.	**Il avait un jogging « Mike ».**
Il avait des parents qui possédaient un bateau/ un appart au ski/une piscine.	**Il avait organisé une fête d'anniversaire à laquelle un seul enfant était venu (le fils de la directrice parce qu'elle l'avait obligé).**

Ce livre est aussi un énorme cri d'amour à tous ces mecs qui en ont tellement bavé parce qu'ils n'étaient pas parfaits !
Ils auraient rêvé d'être Zack Morris mais ils étaient Screech...

Parce qu'ils étaient trop maigres, trop gros, trop grands, trop petits... À tous ceux qui n'étaient pas invités aux fêtes, qui se sont fait racketter, à qui on a fait subir le coup du poteau... Le temps de la revanche est venu !

GOD SAVE THE GEEK.

---

* Il avait les cheveux sales.

Le hipster

Ce terme est apparu il y a plusieurs décennies mais s'est popularisé au début des années 2000.

Pour reconnaître un hipster, rien de plus simple : il porte une barbe, une casquette ou un bonnet, des tatouages, une chemise à carreaux, des lunettes, et utilise un Polaroid pour prendre en photo son burger végétarien. (Comment ça on fait des généralités ?! Pffff ! Tellement pas notre genre...)
Le hipster se conforme à être anticonformiste.

Dans un article intitulé « *The Death of the Hipster* », Rob Horning, dans une critique de l'« hipstérisme », émet l'hypothèse que *ce « mouvement pourrait s'inscrire dans une logique postmoderniste, en tant qu'il emprunte à l'ironie et au pastiche, et ce, dans un but à prétention esthétique. »*
Bref, des petits cons qui se la pètent. (Mais nous on les aime bien.)

Nous profitons de l'occasion qui nous est donnée pour aborder un sujet très peu traité (bizarrement), à savoir :
« À quoi sert le hipster ? »

Votre premier réflexe serait de répondre : **À RIEN !**
Et vous n'auriez pas forcément tort.
Et pourtant...
Il existe un domaine dans lequel le hipster a su briller, il s'agit de la « préservation du roux ».

LE HIPSTER A SAUVÉ LE ROUX !

Il existait une défiance à l'égard des roux qui remontait à l'Antiquité.
Comme on le sait, les préjugés ont la vie dure, mais c'était sans compter l'arrivée du hipster.
Il a réussi à réhabiliter les roux et à les rendre « hype ». Certains vont même jusqu'à se teindre la barbe pour avoir des reflets roux. Nous avons des noms ! (Que nous tairons ici, mais joignables en MP.)

Le pervers narcissique

Dans notre précédent livre, nous vous avions alerté sur le fait qu'il ne fallait pas voir des « pervers narcissique » partout, pourtant, nous ne pouvons pas nier qu'ils existent.

> **La perversion narcissique** est un mécanisme de défense qui consiste en une survalorisation de soi-même aux dépens d'autrui.

Le pervers narcissique est un manipulateur compulsif. Il jouit de ce sentiment de domination. Il éprouve du plaisir à vous détruire et ne ressent aucune empathie, aucune culpabilité.

Comment reconnaître un pervers narcissique ?
- Il vous critique et vous dévalorise.
- Il vous culpabilise en inversant les rôles.
- Il divise pour mieux régner.
- Il se positionne en victime.
- Il fait des menaces cachées ou du chantage ouvert.
- Il ment.
- Il est égocentrique.
- Il est obsédé par l'image sociale.
- Il vous fait perdre vos repères.
- Il vampirise votre énergie.
- Il fait preuve de froideur émotionnelle.

Et là, on sait ce que vous êtes en train de vous dire...

C'EST EXACTEMENT MON EX !!

C'est incroyable comme la plupart des gens (hommes et femmes confondus) reconnaissent leur ex dans cette description. Mais posez-vous la question suivante : est-ce que mon ex était réellement un pervers narcissique ou la réalité est-elle bien plus simple que ça... ?

VOUS ÊTES SORTIE AVEC UN CONNARD !

L'homme parfait, cette arnaque

À cette étape de votre lecture, vous devriez avoir assimilé le fait que l'homme parfait n'existe pas. Mais peut-être que vous vous dites : « N'importe quoi, moi j'en connais un ».

FAUX !

Si vous côtoyez un « homme parfait »... Sachez que c'est une arnaque !

Nous savons qu'il y a beaucoup de « contrefaçons » qui traînent dans le circuit et se refilent sous le manteau, tels de faux Vuitton.

Si tu grattes un peu, tu vois bien que ça va pas tenir sur la longueur... Y a les coutures qui pètent.

Faites attention, sachez que les copies peuvent s'avérer dangereuses.

C'est comme ces pubs qui vous promettent de doubler votre investissement, ou cette annonce : « *Avec une simple astuce, cette mère de famille a perdu 15 kilos en 15 jours.* »

ARNAQUE !

Le mode opératoire de la « contrefaçon » consiste à enjoliver la réalité pour nous amadouer :

● Il dit travailler pour le gouvernement.

       Il travaille à la mairie.

● Il dit être « un homme du feu ».

       Il travaille dans une boutique d'extincteurs.

● Il dit travailler dans la technologie de pointe.

       Il est à l'accueil d'une entreprise qui fabrique des petits clous.

● Il dit travailler dans le cinéma.

       Il est à l'entrée, à gauche.

On se rendra
à l'évidence
qu'on n'arrivera
jamais au bout du
« squat challenge ».

Les mecs au régime

En période de régime, avouons-le, nous sommes légèrement irritables...

(Que celle qui n'a pas voulu griffer un enfant qui mangeait un Granola à côté d'elle nous jette la première pierre.)

Nous devons donc nous ménager au maximum.

Cas d'école :

Vous pensez que c'est une bonne idée de commencer un régime en même temps que votre mec car vous aurez moins de tentation, vous pourrez cuisiner léger pour vous deux et vous vous soutiendrez, etc.

ERREUR DE DÉBUTANTE !

Effectivement, ce sera le cas... Au début... Avant qu'il ne perde ses premiers kilos.

Vous vous rendrez alors compte que vous avez créé un monstre.

Un mec au régime c'est le sheitan !

Mise en situation :

- Il arrête les frites et perd ses premiers kilos. (Il pense donc que c'est facile et vous fait des réflexions sur le fait que vous n'arrivez pas à les perdre aussi vite que lui.)
- Il remplace ensuite la mayonnaise par la moutarde et perd ses 10 premiers kilos en un mois.
- Il pense tout connaître sur le sujet alors qu'on fait des régimes depuis nos 13 ans.

Et ce sera encore pire après votre régime car il vous rappellera constamment qu'il a perdu 15 kilos alors que vous avez péniblement perdu « 3,8 kilos ». (Il vous reprendra quand vous direz « 4 kilos ».)

Nous savons que la tentation d'avoir un allié/soutien durant votre régime est grande mais, croyez-nous, LE PRIX À PAYER EST TROP IMPORTANT.

Pauvres petits chats...

Il faut se rendre à l'évidence, les femmes ne sont plus les seules à subir la pression de « la quête de la perfection ». Aujourd'hui, les hommes ne sont plus épargnés. La société change (il était temps !) et exige des hommes qu'ils s'adaptent. Ohhhh ! pauvres petits chats...

AVANT
(Date située aux alentours de « il y a fort fort longtemps »)

– Nourrir sa famille
– Protéger le foyer
– Se reproduire

AUJOURD'HUI

– Être un père présent
– Être un mari attentif
– Être intelligent
– Être ambitieux
– Être travailleur
– Être beau
– Être drôle
– Être sexuellement performant
– Être sportif
– Être créatif
– Être manuel
– Être sexy
– Être fun
– Être sensible
– Être viril
– Être tendre
– Être responsable
– Être surprenant
– Être capable d'allumer un barbecue
– Être attentif au désir de l'autre
– Être capable de donner du plaisir à l'autre*

P.-S. : Bonne chance les mecs ! Chacun son tour...

* La liste continue mais on n'avait pas la place ici pour dérouler tout le parchemin.

Message à l'attention des hommes qui pensent qu'on a écrit ce livre pour eux...

Quand ils ont appris qu'on écrivait *L'homme parfait est une connasse !*, beaucoup de garçons ont pris peur. Certains ont d'ailleurs souhaité nous faire part de leurs craintes... Un peu comme dans *Les Bronzés*, après le sketch de la valise, quand le mec débarque au bar en disant à Bobo : *« C'était pour moi le sketch de la valise ? Parce que moi des valises j'en ai tant j'en veux ! »*

Prenons l'exemple de ce garçon (que nous appellerons ici Arnaud*) qui a envoyé un message à l'une des auteurs sur Messenger :

ARNAUD : *« Hello, j'ai appris pour le livre... Est-ce que je peux compter sur toi pour ne pas parler de moi ? »*
MOI : *« Hahaha ! Bichon... Tu te donnes quand même beaucoup d'importance pour penser que je vais parler de toi dans mon livre. »*

OU ENCORE

LUI : *« Hello, j'ai appris pour ton livre et je tenais à te féliciter. En revanche, j'espère pouvoir compter sur ta discrétion car je ne souhaite pas apparaître dans ton livre. Merci par avance. »*
MOI : *« Excuse-moi mais qui es-tu ? »*

Que ce soit bien clair, il ne s'agit pas ici de régler nos comptes ou de venger nos copines**, **il s'agit de rire ensemble de nos défauts et de nos contradictions. Alors détendez-vous les garçons et apprenez à rire de vous-mêmes !**

Nous avons passé deux livres à rire de nous, il était temps que ce soit votre tour. MAIS N'OUBLIEZ PAS QUE TOUT ÇA, CE N'EST QUE DE L'AMOUR.

---

* Parce qu'il s'appelle vraiment Arnaud.
** Ou peut-être que si... Vous aurez toujours le doute. Mouahahaha *(rire sardonique)*. P.-S. : Et non, le chapitre « La demi-molle exploitable » ne vise personne en particulier.

En conclusion

« Tous les hommes sont menteurs, inconstants, faux,
bavards, hypocrites, orgueilleux et lâches, méprisables
et sensuels ; toutes les femmes sont perfides,
artificieuses, vaniteuses, curieuses et dépravées ;
le monde n'est qu'un égout sans fond
où les phoques les plus informes rampent
et se tordent sur des montagnes de fange ;
mais s'il y a au monde une chose sainte
et sublime, c'est l'union de deux de ces êtres
si imparfaits et si affreux. »

Alfred de Musset,
On ne badine pas avec l'amour (1834),
Acte II, scène 5

Remerciements

Au début de cette aventure, nous avions écrit pour faire marrer nos copines.

Eh bien ça n'a pas changé ! C'est juste qu'on a plein de nouvelles copines... VOUS ! C'est donc vous qu'on souhaite remercier en premier. Sans vous, rien n'aurait été possible*.

C'est un peu comme si vous reveniez régulièrement à nos apéros... Sauf que cette fois, les hommes sont autorisés, puisqu'on parle d'eux.

Alors... Merci aux hommes qui nous ont inspirées, et surtout : sans rancune !

Merci aux Chatons Coyotes. « RTVA... »
Merci au Kartel pour cet été mémorable.
Merci à notre éditeur Christophe Absi pour sa confiance.
Merci Maman et Daddy.
Et enfin merci aux Woo Girls d'être toujours là.

---

* On s'en fout d'être gnangnan...

NORD COMPO
m u l t i m é d i a

Composition et mise en pages
Nord Compo à Villeneuve-d'Ascq

Cet ouvrage a été achevé d'imprimer en octobre 2018
dans les ateliers de Normandie Roto Impression s.a.s.
61250 Lonrai
N° d'édition : L.01ELKN000687.N001
N° d'impression : 1802810
Dépôt légal : octobre 2018

Imprimé en France